library of irritations　edited by hiroki kashiragi

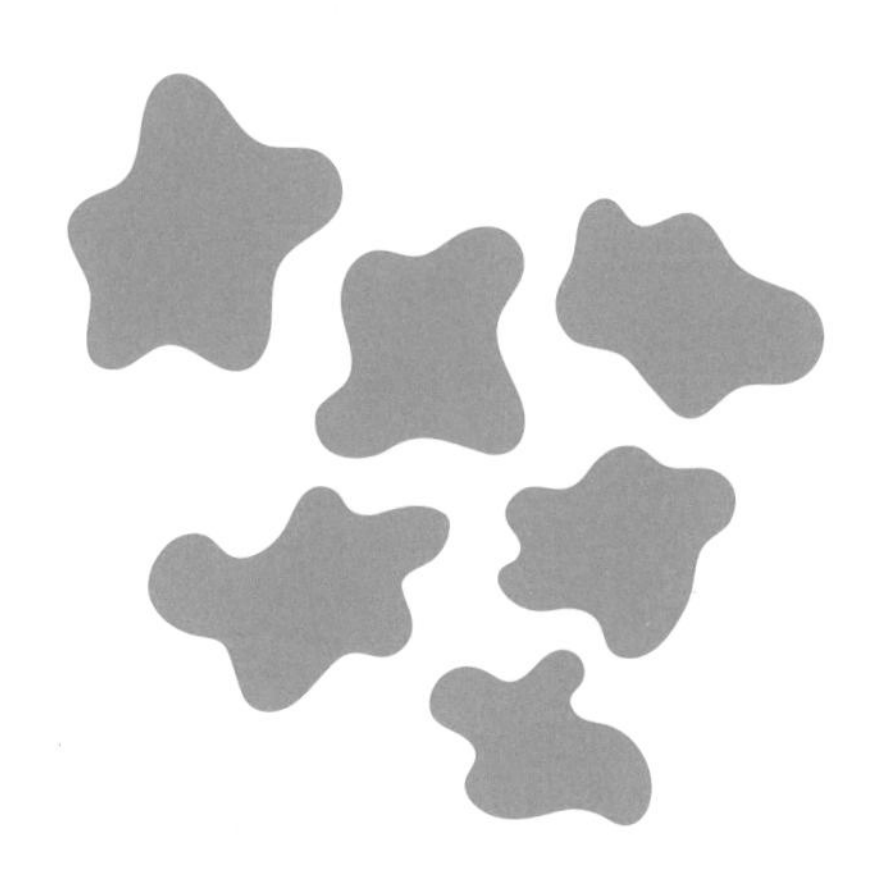

イライラ文学館

怒りで爆発しそうなときのための9つの物語

頭木弘樹 編

毎日新聞出版

イライラ文学館

不安や怒りで爆発しそうなときのための９つの物語

わたしたちはまったくの火山である。

ル・クレジオ

館長からのご挨拶　イライラしたときにはイライラした物語を

最近、イライラしませんか？

もしそう感じておられるとしたら、ぜひこのアンソロジー（物語集）を読んでみてください。失恋したときには失恋ソングを、イライラしたときにはイライラした物語をです。かえって、心が落ち着きます。物語によるアンガーマネジメントです。

イライラは、じつは心だけの問題ではありません。恋愛で、胸がドキドキするのを感じて、「この人を好きなのかな？」と思ったりするように、イライラや怒りも身体が大きくかかわっています。か―っと頭に血がのぼったり、手がわなわなふるえたり、そういう身体の反応によって、イライラや怒りの感情はますます高まります。

心が暴走する前には、じつは身体が悲鳴をあげているのです。

そんな身体と心の文学を、ぜひご堪能ください。

イライラ文学館　目次

わかってもらえなくてイライラしたときに！

［スラップスティック小説］

心臓に悪い

筒井康隆

〝「荷物どこにあるか、わかりましたか」

「いいえ。わかりません」

「調べてくださったのですか」

「はあはあ」

「調べてくださったのですか」

「何をですか」

「荷物の行方をです」

「誰が調べるんですか」〟

こちらにとっては大切なことなのに、いくら説明しても、相手がわかってくれない。いいかげんな対応をされる。それでは困るので、なんとかわかってもらおうとがんばるのだけれど、ぜんぜんわかってもらえない……。
　こういう状況は、なんともイライラするものです。困るのはこちらばかりで、相手はぜんぜん困らないのも、なんともせつないです。そういうイライラが解消できなくてつらいときは、ぜひこの作品を読んでみてください！

筒井康隆

（つつい・やすたか）

1934－　小説家、劇作家、俳優。大阪市生まれ。小松左京、星新一と並んで「SF御三家」とも称される。前衛的で実験的な作風で、娯楽作から純文学まで幅広い。『虚人たち』で泉鏡花文学賞、『夢の木坂分岐点』で谷崎潤一郎賞、『ヨッパ谷への降下』で川端康成文学賞、『朝のガスパール』で日本SF大賞、『わたしのグランパ』で読売文学賞を受賞。他にもパゾリーニ賞、紫綬褒章、菊池寛賞、毎日芸術賞、日本芸術院賞・恩賜賞など受賞多数。

いやな予感が適中した。

部長がわざわざ応接室へおれを呼びつけて持ち出した話というのが、やはり「島流し」であった。

ふつう「島流し」にされるのは独身の研究部員である。だがおれには妻と、三歳の男の子がいるのだ。

なぜ島行きを命じるのに部長が直接おれを呼んだか。課長からは、おれに切り出すことができなかったのだ。これは課長の悪意のあらわれだからである。おれの「島流し」は課長の画策なのである。そうに違いないのである。

島根県の二〇キロ沖、日本海のまっただ中に柘榴島という小さな島がある。おれが出張を命じられたのはその柘榴島だった。

「この島に電話はありますか」おれは地図を見ながら部長に訊ねた。

「村長の奥さんが交換手をやってる。出張所に一台、架設してやるよ」部長が笑いながら答えた。

「こんな島にまで海底電話線を引いたんですか」

「なあに。簡易マイクロ波ってやつだろ」

「日本海なら水質検査をやるのにこんな沖へ出る必要はないでしょう。沿岸でもできる筈(はず)です。ここに一膳岬(いちぜんざき)というのがある。ここではいけないんですか」

「シトロキシンの含有量は、沿岸ではむらがある。沖の方がいい。そんなこと君だって知ってる筈だ」

「開発課にはまだ、独身のやつが五、六人います。なにもぼくを行かせなくても」

「あの連中はまだ、ひとりで仕事できないよ。君だって知ってる筈だ」

おれはくいさがった。「ぼくには持病(じびょう)があります」

「知ってるよ。心臓病だろう」

「課長が言ったんですね」

じろり、と部長はおれにうわ目を遣った。

「いや。益井さんだ」会社の保健医の名である。

「あの人には、ぼくの病気はわからないと思いますが、どう言ってましたか」

「神経症だと言ってたよ」

「心臓病だとは言わなかったんですか」

「ご本人は心臓病だと主張してるって、そう言ってたよ」部長はにやにや笑った。

「気のせいだって言ってるんですね」おれは溜息(ためいき)をついた。「藪医者(やぶいしゃ)はそれで困る」

「君のかかりつけの医者はどう言ってるのかね」

おれは自分の病気のことを部長に説明しはじめた。いつもひとに喋(しゃべ)っていることだから、ことばがすらすらと出てくる。しぜん喋りかたにも熱が入る。「神経症には違いありません。しかし、心臓血管神経症といいましてね、ただの神経症ではないし、ただの心臓病とも違う。非常に複雑な病気なんです。益井さんは神経医学を知らないから、そんな無責任なことをいうんです。ぼくの主治医は川下さんといって、精神神経科と内科、両方に詳しい人なんです。あんな名医にめぐりあえて幸運でしたよ。でなかったらぼくはとうに心臓発作で死んでいます。いいえ。そうに違いない。もっとも川下さんにめぐりあう前にあちこちの病院をわたり歩いて、十数人の医者と喧嘩(けんか)してますがね、どこへ行ってもただの神経症だっていうんですから。だって実際に心悸亢進(しんきこうしん)があり呼吸ができなくなり、心臓がきゅうっと痛み出すんです。ただの神経症であるわけがないじゃありませんか。心臓血管神経症という診断をしてくれたのは川下さんだけでしたよ」

部長は退屈そうに聞いていたが、やがて手をあげて喋り続けるおれを制止した。「じゃあ、心臓血管神経症ということにしようじゃないか。その病気、何が原因だね」

「ぼくの場合は緊張の連続が原因だそうです」

「ちょうどいいじゃないか」部長はわが意を得たりという顔つきでぴしゃりとデスクを平手で叩いた。「はなれ小島へ行けば対人関係の緊張やいらいらがなくなる。仕事だって、決った時間に海水の分析検査をするだけだからのんびりしたもんだ。静養に行くみたいなもんだ。なあ。そうじゃないか。わはははははは」

おれは唖然とした。

なるほど、たしかにそういう考え方もできる。だが、もうひとつの病気の原因である家庭の不和ってやつはどうなるんだ。ただでさえヒステリーで、その上派手好みで遊び好きで交際好きの妻が、十数人の漁夫しかいないような淋しい離れ小島の出張所なんかに何カ月もおとなしくじっとしていられるわけがない。どうしても島にいなきゃならないとなれば連日連夜気ちがいじみたヒステリーを起しておれを悩ませるに決っているのだ。

だがもちろん、上司である部長に女女しく家庭の事情を訴えるわけにはいかない。

「あのう」おれはおそるおそる訊ねた。「出張期間は」

「八カ月だ」

「もう少し短くなりませんか」

「ふつうは一年間、シトロキシン含有量の変化を見るんだ。そんなこと君だって知ってる筈だ。君の場合特別に短くした。奥さんと子供を置いていくんだからね」

「置いて」おれは眼を丸くした。「つれて行ってはいけないんですか」

今度は部長が眼を丸くした。「つれて行くつもりか」

「冗談じゃありません。ぼくひとりだと、発作を起した時に世話してくれる人間がいない」

「そりゃあ、つれて行ってもいいがね」そういってから部長はまた、にやりとした。「奥さん、美人だそうだね」

置いていくのが心配なのだろうといっているのである。何パーセントかは図星だ。

「来年から開発課は開発部となり、研究部から独立する」急に真剣な顔つきになり、部長はそういった。「重松課長は開発部長になる。その下に一課と二課ができる」

「なるほど」おれは唾をのみこんだ。

「約束してもいいよ」部長が重おもしくうなずいた。「島から戻ったら、君はどちらかの課の課長だ」

「おい。また『島流し』だぞ」その日、帰宅してすぐ、おれは妻に報告した。「結婚したからもう『島流し』にはなるまいと思っていたが、またお鉢がまわってきた」

妻はしばらく、ぼんやりとおれを見つめていた。

やがて、ゆっくりと訊ねた。「なぜ、ことわらなかったの」

「だって、ことわれないよ。条件として課長の椅子を保証されたんだから」

「あなたが課長になるのは当然でしょ。あなたと同じ年に入社した他のひと、みんなとっくに課長になってるのよ。一度も『島流し』にならずに課長になった人だっているわ」

「そりゃお前、技術畑じゃないからだ」

「だって、あなただけよ。独身時代に四度も『島流し』になった人って。まだこの上、結婚して子供まであるあなたが、どうして『島流し』にならなきゃいけないの。どうしてそんな話、引き受けたのよ。あなたって、どこまでお人好しなの」妻の声が次第にうわずりはじめ、だんだん早口になってきた。「会社のやりかたって汚ないわ。あなた。いいように利用されてるのよ。またわたし、他の奥さんたちからいい笑いものにされるわ。もう、外へも出られないわ」叫びはじめた。

傍らで三歳の長男が眼を丸くし、きょとんと妻の顔を眺めている。

「部長に、いったんことわったんだよ」おれは嘆息した。「病気のことを説明してね」

「ああ」妻は天井を見あげ、吐息とともに大きくかぶりを振った。「あなたとうとう、部長さんにまで病気のこと喋ったのね。また例によって、誇張してながながと話したんでしょう。身ぶり手ぶりで大袈裟に、大袈裟に、心臓が、心臓がって」ぐりぐりと眼球を剥き出し、唇を歪(ゆが)め、妻はおれの口真似をした。

「なにが大袈裟だ。おれはいつもありのままを喋っている」おれはむっとして言い返した。

「説明しなきゃ、わかってもらえないじゃないか」

「わたし何度も言ったでしょう。それだけはやめなさいって。わたしに言うんならいいわ。でも、他のひとにだけはそれをやらないでって。あなたが課長さんに嫌われてるのは、あなたのその癖(くせ)のせいなのよ。課長さんだっていい加減いや気がさすでしょうよ。何か用をいいつけてもすぐ心臓が、心臓が。ちょっと心臓の動悸(どうき)がおかしいと思うと仕事中だろうがなんだろうがすぐ大騒ぎして、会社をとび出して病院へ駈けつけて」

「どうしてそんなことを知ってるんだ」

「知ってるわよ、それぐらい。あなた、会社中の笑いものになってるのよ。出世できないのもあたり前よ。今度の『島流し』だって、課長さんがあなたを嫌って追っ払おうとしたのよ。そうよ。そうに決ってるわ」

「お前はおれが死んでもいいのか」おれは憤然(ふんぜん)として妻を怒鳴りつけた。「たしかに課長には嫌われているかもしれん。しかし、お前までがなぜそんな言いかたをする。心臓病ってのは命とりなんだぞ。健康な人間が病人を笑いものにするのはあたり前だ。だがな、いくら笑いものにされようと、死んでしまってはつまらんから養生してるんじゃないか。おれの病院通いだって、お前や子供のためなんだぞ」

妻が絶叫した。「恩着せがましくいわないで」

「なんだと」おれは食卓を蹴って立ちあがった。

「心臓病なら心臓病って、どうして結婚する前に言わなかったのよ」妻も立ちあがり、おれを睨みつけた。「そうじゃないの。わたしをだましたんじゃないの」

「だましたとはなんだ。あの頃はたいしたことはなかったんだ。結婚してから悪くなったんだ。しかたないじゃないか」

「わたしのせいで悪くなったって言いたいんでしょ。きっと会社でも、わたしの悪口いってるんでしょ。口惜しい」きい、と妻は叫んだ。

「待て待て。まあ、待て」おれはあわてて話をもとへ戻そうとした。「これじゃ、いつもの喧嘩と同じだ。今はこんなことを蒸し返している場合じゃない。まだ行く先も言ってないじゃないか」

「どこの島へ行くにしろ、わたしに関係ないわ」そう言ってから妻は、はっとしておれの顔をうかがった。「もちろん、あなたひとりで行くんでしょうね」

おれは眼を見ひらいた。「なんて冷たいことをいうやつだ。病人のおれひとりを、医者もいないような離れ小島へ行かせてほっとくつもりか」

妻は冷たく笑った。「いやなら、行かなきゃいいじゃないの」

「戻ってきたら課長になれるんだぞ。お前はおれが課長になれるというのに、嬉しくないのか」

髪をさか立てて妻は叫んだ。「そんなもの、ちっとも嬉しくないわよ。部長になれるっていうならともかく、今ごろどん尻で課長になれたって、ちっとも嬉しくないわ」

「馬鹿をいえ。課長をとび越して一足とびに部長になんかなれるものか。島へ行かなきゃ課長にもなれないんだぞ」

「あんたが馬鹿だからよ」

「馬鹿とはなんだ」おれは鍋(なべ)を蹴とばした。

子供は夫婦喧嘩に馴れているから、もう泣きもしない。ひとりで遊びはじめた。

「とにかく、家族全員で島へ行くんだ。わかったな」鼻息荒く深呼吸して、おれはそういった。

今度は妻が眼を見ひらいた。「あなた、子供を野蛮人(やばんじん)にするつもりなの」

「なんのことだ」またもや妻の得意な論理の飛躍である。

「家族のことなんか考えないのね。この子、三歳児クラスの幼稚園へ入れたばかりなのよ。入園にどれだけ苦労したか知ってるの」

「そんなものは、お前の見栄だ」

「じゃあ、あなたは子供が、友達もいない荒れ果てた離れ小島で、漁師の子みたいに馬鹿になってしまった方がいいのね。せっかく字を憶えはじめたばかりだというのに」わっと泣き出し、子供に駈け寄って抱きしめた。「ご免ね坊や。パパに甲斐性がないばっかりに」

「子供の幼稚園とおれの仕事と、どちらが大切だ」おれはわめいた。「お前は自分が派手な洋服を仕立てて、ちゃらちゃら出歩けないから島へ行くのが厭なんだろう」

「それが憎いのね」おれを睨みつけた。「だからわざとわたしをつれて行くんでしょう。わたしを困らせるために」立ちあがり、地だんだを踏んだ。「いやよ。わたしは行かないわ。そんな淋しいところで、話相手もないところで、あんたみたいな病気屋ひとり相手にしてたんじゃ、こっちの気が違ってしまうわ。絶対に行きませんからね。あなたひとりで勝手に行きゃいいんだわ。勝手に発作を起してりゃいいんだわ。自業自得だわ。いい気味だわ。ほほほほほほ」

「な、な、なにを、この」怒鳴りつけようとした時、急に呼吸ができなくなり、おれは眼を丸くしたままで口をぱくぱくさせた。

心臓に鋭い痛みが走った。おれは顔をしかめ、胸を押えてうずくまった。大きな鼓動は、あきらかに不規則だった。うう、うと、おれは呻いた。冷や汗が流れはじめた。

「ほうら、また始まったわ」妻が口もとを歪めてうす笑いを浮べ、おれを見おろしていった。「いつも言い負かされると心臓が悪くなるのよ。便利ねえ、心臓が悪いと」

ひゅう、と、息を吸いこみ、おれは妻の方へ手をさしのべた。「く、薬を、薬をとってくれ」

「自分でとればいいでしょ」彼女は食卓を片附けはじめた。

おれは畳の上へ、横ざまにころがった。「背広、背広のポケットだ。と、とって、とってくれ」

息子が立ちあがり、おれを見おろした。「パパ、病気だ」

「ほっときなさい。甘えてるだけなのよ」妻は足音荒く、台所へ去った。

はげしい痛みと死の恐怖におびえながら、おれはひいひいと咽喉(のど)を鳴らして畳を這(は)い、衣桁(いこう)にたどりついた。

「まあまあ、大袈裟だこと」溜息をつきながら、妻が台所から戻ってきて、衣桁にかかった背広のポケットから薬瓶(くすりびん)を出し、おれの鼻さきに投げつけた。「名演技よ。本当かと思っちゃうわ」

「と、いうわけなので、八カ月分のお薬をいただきたいんですがね」翌朝、会社を午前中休むことにしておれはさっそく川下医院へ行き、川下医師にそういった。

「そうですなあ」医師は渋い顔をした。「そりゃあ、あげないこともありませんが」

「貰わないと困ります」おれは悲鳴まじりの声を出した。「無医村の離れ小島で、薬だけが頼りなんですから」

「でもねえ、あなた、すぐ服むでしょう」医師は頭髪を掻きむしった。「あなたは、原因をとり除こうという努力をしないで、薬ばかり服む。よくないですなあ」

「いいえ、そんなことはありません。努力はしています。先生のおっしゃった通りタバコ、コーヒーはやめましたし、過激な運動とか、いそがしい責任のある仕事はできるだけ避けるようにしているんです」おれは医師にうなずきかけた。「もちろん、妻との性行為もやめました」

「え」医師が顔をあげ、おれを見つめた。「完全にやめたんですか」

「はい、完全に。だってあれもやっぱり、過激な運動でしょう」

「何度も申しあげたように、あなたの場合、器質的な変化というものは認められないんですからねえ」医師は吐息まじりにいった。「あまり気にしすぎるというのもよくないんですよ。いちばんいけないのが家庭の不和です。奥さんとのコイトスを完全にやめてしまったりしたら、やっぱり不和の原因になるでしょう」

「まさか先生までが、気のせいだとおっしゃるんじゃないでしょうね」

「そんなことは言わない。病気であることは確かなんですからね。ただ、あまり不安を持ちすぎると症状もどんどん悪くなる。そのため、さらに不安を持つ。悪循環です。おどかすわけじゃないが、こうなってくると安静や転地という療法もあまり利きめがないことになる。気を楽にして、あまり腹を立てない。これが一番ですよ」

「しかし妻がわたしを怒らせるんです。しかたがありません」

「その島へは、奥さんもつれて行かれるんですか」

「もちろんです」

「転地療養としては絶好のチャンスなんだがなあ」医師は顔をしかめた。「ひとりで行くというわけにはいかんのですか」

「冗談じゃない。あの落ちつきのない妻を残しては行けません。何を仕出かすかわかったものじゃない」

「夫婦間の不信、貞操への疑惑、こういうものも直接の原因になり得るんですがねえ」

いささか痛いところを突かれ、おれは大声を出した。「嫉妬しているとおっしゃるんですか。だってしかたがないでしょう。あいつは実際、浮気っぽいんだから」

「ま、まあまあ。まあまあ」医師があわてておれをなだめた。「それ、そういう風に興奮するのが、いちばんよくないんです」

「薬はいただけますか」

「無闇に服まない、という約束をしてくださるのなら、八カ月分渡しましょう。ただ、それを全部服んでしまって、もっと送ってくれと言ってきてもだめですよ。それ以上はあげません。わかりましたか」

「わかりました」

「セルペンチナアルカロイドだ」と、医師は看護婦に言い、またおれに向きなおった。

「くれぐれも服みすぎないように。あなたの場合、さほど血圧が高くはないんだから、服みすぎると命とりになりますよ」

「はい。わかっています」

なあに、おどかしているだけだ、と、おれは思った。貰ってしまいさえすればこっちのものである。

おれの勤めている海洋化学資源開発株式会社では、各地の海岸や島にある出張観測所へ派遣する社員が決定すると、その社員は一週間以内に現地へとばなければならないことになっている。ただしこれは独身社員の場合である。おれは所帯持ちだから特別に二週間の準備期間をあたえられた。そして二週間めの午後、おれと妻と長男は一膳岬から栢榴島へ向う一日一往復の小さな汽船に乗っていた。

「何よなによ何よ、あの島は」柘榴島が近づいてきてその全貌がおれたちの眼前に迫ると、妻はありったけの声をはりあげて叫んだ。「何よあの島の恰好は」

　島の中央には鉄兜を伏せたような形の山があり、その山の頂きが柘榴の実のようにぱっくりと割れ、いやらしい赤さの断面をのぞかせている。

「冗談じゃないわ。こんな気持の悪い島、わたし住めないわよ」妻が顔色を変えておれに怒鳴った。「どうしてまた、よりにもよってこんな頭の割れた島に住まなきゃならないの」

「おれだって、なんにも知らんじゃないか」おれは怒鳴り返した。「地図で見ただけなんだ。誰もおれには、柘榴島というのがこんな頭ぱっくりこの島だなんて教えてはくれなかったんだ」

「あは、あはは、あはははは」長男は島を指さして笑い続けている。

「あれ、火山でしょ。爆発したらどうするの。島は全滅よ」

「火山があんな恰好しているもんか」

「いいえ、火山よ。そうに決っています」妻はむせび泣きはじめた。「わたし、みじめだわ。あなたなんかと結婚しなきゃよかった。あなたと婚約してしまってから別の縁談があったのよ。その人、今ヨーロッパへ家族と一緒に出張してるわ。大変な違いだわ、あなたとは」

「そういうことを言っておれを怒らせるから、おれの症状が悪化するんだ」腹を立てまいとして深呼吸しながら、おれはゆっくりと言った。「川下先生が何度もおっしゃってる。家庭の不和、特に夫婦喧嘩がいちばんよくないんだ。妻と喧嘩したために心臓麻痺を起して死んだ患者もいるんだぞ」

「そんなに死ぬのがこわいのなら、早くわたしと離婚したらいいでしょ。何よ、すぐに川下先生、川下先生って。何さあの藪医者」

「あの人は藪じゃない」おれは怒鳴った。「お前はおれを怒らせて、殺す気だな」

「ちっとも死なないじゃないの」妻が怒鳴り返した。「一度死んでごらんなさいよ。そしたらあなたの病気のこと、信じたげるわ」

「な、なにを、なにを」言うことが滅茶苦茶だから言い返すことばがない。「お、お前はなんという」また呼吸ができなくなり、心臓がかりかりかりと痛み出した。

「会社だって、あんたを殺す気でこんな島へ追い払ったのよ。会社はあんたに死んでほしいのよ。課長にさせる気なんか、全然ないのよ。そうに決ってるわ」妻は甲板に鋭い音を立てて地だんだを踏んだ。

「やめ、ろ」おれは胸を押え、ベンチに掛けた。「く、薬を、た、の、む。せ、船室にある。鞄の中。鞄の中」

妻は舌打ちし、あきれ果てたという顔つきでおれを見おろした。

「パパ、また病気だ」と、息子がいった。

「さ、ほっときましょ。行きましょ」妻は冷たく無表情にそういうと、長男の手をひいてさっさと後甲板の方へ行ってしまった。

おれは逆上するほど腹を立てた。鼓動が乱れ、呼吸は完全に停止した。

「う、う、う」

呻き、折り曲げた指さきで宙を掻きむしり、身をよじりながら、船室に戻って、鞄をあける手ももどかしく薬瓶をとり出すと、白い錠剤三粒を水なしでのみこんだ。医師からは一回二錠を指示されているのだが、もはや二錠ではききめがないのである。

少し落ちついてから薬瓶の底を眺めた。あと四、五錠しか残っていない。

ふと不安に襲われ、おれは鞄の中を掻きまわしてみた。八カ月分の薬の包みを確認しておこうとしたのである。

薬の包みはなかった。

あわててスーツケースをひっくり返し、妻の鞄の中身もあたりへぶちまけた。だが、薬はどこにもなかった。

「薬がない」心臓が早鐘を打ちはじめた。

「どうしたの」髪ふり乱して船室から後甲板へ駈け出てきたおれを冷やかに見ながら、妻が訊ねた。

「薬だ」と、おれは叫んだ。「薬の大きな包みがない。あれを、どこへやった」

「知るもんですか」妻は海の方を眺めた。「あなたの鞄でしょ」

「おれの鞄には入っていない。お前のにもない。どこへやった」おれは絶叫した。「どこへやった」

おれの相貌（そうぼう）のいつもと違う凄（すさ）まじさに、さすがに息子がおびえて妻に抱きついた。

「そんな大きな声、出さないで。この子がびっくりするじゃないの。他のお客さんに迷惑よ」他のお客さん、といっても、後甲板にいる老婆ひとりだけである。

「そんなことはどうでもいい。お前だってさっき、でかい声を出したじゃないか。おれの質問に答えろ。あの薬の包みをどこへやった。あの薬がないと、こっちは生命の維持にさしつかえるんだ」

「セーメーの、イジに、サシツカえるんですってさ」くすくす笑いながら、妻は長男にそういった。「偉そうないいかたするのねえ。おれの質問に答えろ、ですってさ」にくにくしげに、妻は白い眼でおれを見た。「ひとを何だと思ってるの」

「悪かったよ。あやまるよ」おれは挑発に乗るまいと努力しながら、おだやかにいった。

「頼むから、あの包みをどこへしまったか教えてくれ」

「どんな包みなの」

「茶色いハトロン紙に包んだ、これぐらいの大きさの包みだ。中には八ヵ月分の薬が入っている。おれが今持っている薬瓶にはあと四、五錠しかない。補充しておきたいんだがね」

「ほうら。そういう具合に、おだやかに言えばいいのよ」教え諭すようにそういってから、妻は答えた。「その包みだったら、冬の洋服などと一緒に衣裳ケースへ入れて『大通』の便で送ったわ」

『大通』なら日本一の運送会社だから、おれは幾分ほっとした。しかし残り少ない薬が切れる前に、はたして荷物が届いてくれるかどうかが不安である。

「勝手にそんなことしちゃ、困るじゃないか」おれは泣き声を出した。「あと四、五錠しかないんだぞ」

「そんなに大切なものなら、あなた自分でちゃんと保管しておけばよかったのよ」

「それで『大通』の便は、いつ島に届くんだ」

「四、五日かかると言ってたわ。今日で四日めだから、明日ぐらい届くでしょ」

明日まで、発作を起さぬようにしなければならない。

島に着くと、村長だという老人が船着き場まで出迎えに来ていて、おれたちを出張所まで案内してくれた。村から一キロほど離れた海岸に近い崖下の砂地にある出張観測所は十五坪ほどの木造で、むろん建てられたばかりである。観測期間が終れば壊してしまうのだろう。粗雑な造りだが奥には広い畳の間もひと部屋あり、意外に住みやすそうだった。

「うん。これならまあ、我慢できないことはない」と、おれはいった。

村長の手前、妻は黙っていた。

観測用器材がすでに届いていたから、村長が帰っていき、妻が掃除をはじめると、おれはさっそく梱包を解いて組み立てにかかった。組み立てが終ったのは夜おそくだった。

その夜、妻が求めてきた。

新しい環境が不安で、そのため性行為という昔ながらの、単調な反復行為を伴った行動に没入したかったのであろう。その気持はおれとて同じだったが、おれはもちろん妻を抱かなかった。もし発作が起ったら大変である。薬があと五錠しかないことを妻に思い出させてやったが、彼女はいつもの厭味をながながとくり返しただけだった。

次の日、おれは観測装置を岩の多い海岸に運んで六ヵ所に設置した。設置には、まる一日かかった。

その日、『大通』の便は届かなかった。

「来ないじゃないか」と、おれは妻を詰(なじ)った。

「明日ぐらい、来るんじゃない」妻はあいかわらずよそよそしい顔つきでそう答えた。

「『大通』の預(あず)り証は持ってるんだろうな」

「さあ。持ってきたかしら。わたしのハンドバッグを捜(さが)してごらんなさい。そこになければ、家に置いてきてるのよ」無責任なものである。

おれは妻のハンドバッグの中身をいそいでテーブルにぶちまけ、荷物の預り証を捜した。くしゃくしゃになった預り証が出てきた。おれは少し安心した。

だが次の日も『大通』の便は届かなかった。観測を終えてから念のために船着き場まで行ったが、汽船はもう帰ったあとだったし、荷物を持ってきたらしい様子もなかった。いても立ってもいられぬ気分だった。おれはあたふたと観測所に引き返し、電話をかけた。

「もしもし」

「はあい。もうしもし」婆さんの声だった。

交換手をやってるのが村長の奥さんで、村長が六十歳以上の老人だったことをおれは思い出した。とすると、この婆さんが村長の奥さんだということになる。

おれは丁寧に頼んだ。「おそれいりますが、東京をお願いします」

「へえっ。東京。はあいはい」なぜか喜んでいた。「はあいはい。何番でしょうか」

荷物預り証を見ながら、おれは頭の悪い婆さんに大通渋谷支店の番号を何度もくり返した。

「はあいはい。わかりました」婆さんは興奮していた。「いちど電話を置いて、お待ちください」

いらいらしながら約十五分待つと、やっと電話が鳴った。

「はあい。やっとつながりました」と、婆さんが嬉しそうにいった。

「あのもしもし。大通渋谷支店でございますが」女の声はひどく遠かった。

「もしもし。こちら、六日に荷物をお願いした須田という者ですがね。あの荷物がまだ着かないいんですけど」

「ちょっとお待ちください。係の者と替ります」

さらに声が遠くなった。今度は若い男の声だった。「もしもし」

「もしもし」

「もしもうし。遠いなあ、この電話。もしもうし」

「もしもし。あのこちら六日に荷物をお願いしたあの須田という者ですがね。あの荷物がまだ着かないんですが」

「あ、担当者と替ります」

今度は中年男の声だった。おれはまた同じことをくり返した。

「はあはあ。それじゃすぐ調べます」男は面倒臭(めんどうくさ)げにそういった。調べる気がないことはあきらかだった。

「今、調べてもらえますか」

「今ですか」少しむっとした口調で、男は黙りこんだ。

「至急入用の、大事なものが入ってるんです。あのう、実をいいますと、薬なんです。その薬がないと、命にかかわるのです」

「ふうん。ちょっと待ってください」男はしぶしぶ調べはじめたようだった。「ええと、津田さんでしたっけ」

「いえ須田です」

「江津田さんですか」

「あの須田です」

「野津田さんですか」

「スズメのス。タバコのタに濁点(だくてん)です」

「え。あの、なんですか」

「スズメのス」

「あ、スズメ田さんですか」

「いえいえ、スズメのス、タバコのタ」

「田端さんですね」

「ス、ダです」

「須田さんですか」

「はいはい。そうです」

「ああ、ありました。ありました。六日に預った分ですね。衣裳ケースひとつですね」

「あっ。それです。それです」

「島根県の、ええと、これは何と読むんですか」

「ザクロ島です」

「あ、柘榴島行ですね。これはもう、こっちを出ています」

「え。なんですか」

「こっちはもう、発送しました」

「もしもし。もしもし」

「はいはい。もしもし」

「実は今、その柘榴島からかけてるんですがね」

「ああ、そうですか」ちっとも驚かない。

「まだ着かないんですよ」

「おかしいですね。もう着いてなきゃいけないわけですね」

「はい」

「明日ぐらい、着くんじゃないですか」

「そう思いながら、二日経ってるんですよ」

「でも、明日には着きますよ。いくらなんでも」

「着かなきゃ、どうします」

「どうしますって言われてもねえ」男は笑い声を立てた。

「ちょっと調べて貰えませんか」

「何を調べるんですか」

おれはむかむかした。「荷物がどこまで来てるか、調べてほしいんですがね」

「こっちは、送り出してしまえばもう、調べようがないんですがねえ」

「そんなこと、ないでしょう。どういう経路で荷物が運ばれて行くかはご存知でしょう。

電話して調べてほしいんですが」

「誰が調べるんですか」

おれは一瞬、かっとした。「あなたですよ。いや、あなたでなくても誰でもいいから、ちょっと調べてもらえませんか」

「ちょっと、というわけにもねえ。今、荷物が混んでて、いそがしいんですよ」

「こっちもいそぐんです。大事な荷物なんですよ」

男はまた笑った。「こっちの荷物も大事なんですよ」

「命にかかわるんですよ」

「はあはあ」大袈裟なやつだ、とでも思ってるんだろう。

「もしもし」

「はいはい」

「失礼ですが、あなた、お名前は」

男はしぶしぶ答えた。「村井です」

おれは威圧的にいった。「じゃあね、村井さん。とにかく経路にあたる各所を調べてもらいましょうか。あとでまたお電話しますから」

「はあはあ。じゃ、まあ調べましょう。命にかかわるんじゃ大変ですからねえ」含み笑いをした。

むかむかして、おれはがちゃんと受話器を置いた。「なんてやつだ。くそ」

「どうしたの」と、傍(そば)にいた妻が訊ねた。

『大通』の社員だ。態度が悪い。まるで役人じゃないか。そうとも。あれはお役所仕事だ。なんだなんだ。威張りやがって」

「だってそれは、しかたがないわ」妻はいった。「日本一だもの。それに『大通』の入社試験って、とても難かしいんだそうよ。東大出しか採用しないんだって」あてつけがましくそういって、妻はじろりとおれを横眼で見た。「エリート社員ばかりなのよ」

おれはますます腹を立てた。「それで偉そうにしやがるのか」

「そうよ。だから衣裳ケースひとつなんて問題にしてないわよ。『大通』は、機械類だとか、建設資材なんかを運ぶのがとてもうまいそうよ。鉄橋なんかを作る時も、鉄骨を順に現場へ運ぶ段取りなんか、とても上手なんですって。機動力なのね。だから一般家庭の小荷物なんて、ちゃんちゃらおかしいんじゃないの」

「そういうことを知っていながら、どうして『大通』なんかに頼んだんだ」

「あら。だってこんな離れ小島まで荷物を運んでくれるような運送会社、他にあって」妻はおれに冷笑を向けた。

「独占企業だ」

「その通りよ」

「くそ」がん、と、おれはテーブルを叩いた。とたんに動悸が乱れはじめた。おれはあわてて薬瓶を出し、錠剤を二錠のんだ。あと三錠である。

しばらく何ごとか考えていた妻が、やがて顔をあげた。「もしかしたら、意地悪してわざと遅らせてるのかもしれないわ」

「ど、どうしてだ」おれは妻を見つめた。「何か心あたりがあるのか」

おれの不安を掻き立てるかのように、真剣な顔つきで彼女は答えた。「『大通』のトラックの運転手と、ちょっと気まずいことがあったの。荷物をとりにくる時、運転手ひとりだったの。衣裳ケース運ぶの、わたしに手伝えっていうのよ。どうしてふたり来ないの、あんたひとりで運びなさいよ、それが仕事でしょ、って言ってやったの。凄い眼でわたしを睨んだわ」

「そいつの名は、なんていうんだ」

「預り証に、その人の判が押してあるわ」にやり、と笑って妻はそういった。

翌日も、荷物は着かなかった。船着き場まで妻と一緒に行ってみたが、船からおりてきたのは島へ遊びにやってきた学生らしい五人づれだけだった。五人とも男性だった。妻はさっそく、なれなれしく彼らと話しはじめた。

村の農協で買い物をするという妻と別れ、おれは観測所に戻った。昼寝していた長男が眼を醒(さ)まし、泣きわめいていた。苦労してもう一度寝かせ、おれはまた大通渋谷支店へ電話をした。昨日の村井という男を電話口へ呼び出すのに、三十分かかった。

「村井です」

「ああ。昨日お電話した柘榴島の須田です」

「はあはあ」

「荷物、やっぱり届きませんよ、まだ」

「おかしいなあ。そんな筈(はず)、ないんですがねえ」

「と、いうことは、そちらでも調べていただいたわけですね」

「まあねえ。この荷物、そちらの方の支店だと最終的には清水川支店に着くんですがね。もう着いてるかどうか、ちょっと電話して訊ねて貰(もら)えますか」

「そういうことをそちらでやってほしいと思って頼んだのです。まあいいです。なぜぼくがそんなことしなきゃいけないのかよくわからないけど、とにかく一刻を争う時ですから電話してみます。番号を教えてください」

　おれは彼のいう番号をメモした。「ああ、それから村井さん。そのう、実は家内が、おたくのトラックの荷物とりにきた人と、ちょっと言いあったそうですけど、その人、この預り証に田中って判を押してますけど、この田中って人が意地悪して荷物をまだそこにとめたままという可能性も」

「そんなこと、ありませんよ」笑った。

「いやいや。その可能性があるんです。そちらの方をちょっと調べてください。ぼくはこの清水川支店の方を調べますから」

村井という男が馬鹿丁寧に答えた。「はいはい。調べましょう」調べないにきまっている。

いったん受話器を置き、村長の婆さんに清水川支店を申し込んだ時、妻が戻ってきた。

「また電話してるの。電話代が高くつくわ」

「かまうもんか。会社へ請求する」ふと思いつき、おれは彼女に訊ねた。「運賃は、着払いにしたのか」

「ううん。前払いにしたわ」

「着払いにすればよかったんだ。運賃を払わないといって、ごねることもできたのに」

「子供みたいな人ね。運賃なんか、あっちは問題にしてないんじゃない」

「気にさわることばかりいうやつだ」

妻はなぜか、浮きうきしていた。

清水川支店が出た。

「こちら、栃榴島の須田というんですがね。わたしあての荷物、まだ届いていませんか」漁師のようながらがら声がいった。「ああ、ちょっと待ってくれ。見てくる」五分後、電話口に戻ったがらがら声が答えた。「来てないな」地方の社員の方が幾分親切である。「東京から送ったんですがね。東京の方じゃ、もうそちらに着いてる頃だと」「来てないものは来てないよ。こっちはだな、とにかく来た荷物は次つぎ配達しないと、荷物でいっぱいになっちまうんだ。来たらすぐ配達してるんだ。来た荷物をとめといたりする筈ないよ。そうだろ」

「そうですね」

がちゃん、と、がらがら声が電話を切った。来ていないことは確からしい。

大通渋谷支店へ三たび電話を申し込んだ時、水着に着かえた妻が奥から出てきた。「年甲斐もなく、なんだその恰好は」と、おれはいった。「派手なビキニなんか着やがって。ひとりで泳ぎに行くのか」

「ううん。今日やってきたあの学生さんたち、すぐそこの海岸でキャンプするんだって。誘われたから、ちょっと行ってくるわ」

「やめろ」と、おれは叫んだ。「亭主が生きるか死ぬかの瀬戸際であたふたしてるって時にお前って女はまあ、若い男たちと、そんな裸に近い恰好でよく遊び呆けていられるもんだな」

「あら。嫉(や)いてるのね」

「嫉妬じゃない。ただ、夫婦間の不信とか貞操への疑惑が、この病気にはいちばんいかんのだ。行くのはやめろ」

「やっぱり嫉いてるんじゃないの」妻は笑った。「わたしをこんな島までつれてきておいて、この上まだわたしの行動を束縛(そくばく)するつもりなの。冗談じゃないわ」

「行くんなら子供をつれて行ってくれ」

「いやあよ。そんな恰好(かっこう)の悪い」出て行ってしまった。

からだ全体が顫(ふる)えるほど腹を立てている時、電話が通じた。

村井という男が出るなり、おれは彼を怒鳴りつけた。「清水川支店では、そんな荷物は着いてないと言ってます。いったいどうなってるんですか」

「ははあ。そりゃ困ったなあ」ちっとも困っていない口ぶりで彼はいった。「貨車の便かトラックの便か、それがわかればいいんですけどねえ。貨車なら矢吹支店へ着くし、トラック便なら板垣支店へ着くんですよ。そうだ。板垣支店の到着案内へいちど電話してみてくれますか。もしそこになければ貨車の便ということだから矢吹支店の方へ行ってる筈なんですよ。板垣支店の電話番号はですね」

「どうしてそういう調査を、そちらでやってくれないんだ」おれは怒鳴った。「無責任じゃないか」

「そんなに怒鳴らなくても。ははは」

「笑いごとじゃない。もしそちらで調べてくれないんなら、紛失事件として警察に捜査を依頼するぞ」

「はあはあ。しかし、おそらく途中のどこかにありますよ」

「だから、どこにあるかを調べてくれといってるんだ」

「もしもし」だしぬけに村長の婆さんのしわがれ声が割りこんできた。「あのう、この電話まだだいぶ時間がかかりますか。あのう、ほかの人がだいぶ申し込んどるんじゃが」

「うるさい。話し中だ」おれはわめいた。

「あのう。早く終らせてほしいんじゃが」

村井という男の笑い声が聞えた。

「うるさい。うるさい」おれは声をかぎりにわめき散らした。「話し中だといってるだろ。話し中だ。話し、う、う、ううう」呼吸困難になり、おれは胸を押えた。

「どうかしましたか」婆さんがおろおろ声で訊ねていた。「あれまあ、ど、どうかしましたか」

おれは受話器を置き、いそいで薬瓶を捜した。呼吸が、完全に停止していた。眼を剥き、身をよじり、のけぞりながら、おれは顫える手で薬瓶をあけ、最後の三錠を水なしでのみくだした。

「ついに薬が切れた」その夜、おれは泣き声で妻にうったえた。「どうしよう。あの『大通』の社員に、紛失事件として警察へ訴えると言ってやったんだけど、全然おどろかない」

「そりゃ、おどろかないわよ」妻はくすくす笑った。「だってあの会社、だいたい社長からして汚職やってるんだもの」

「そうだったな」おれは何年か前の事件を思い出した。

また、妻が求めてきた。いつもより興奮していた。若い男たちと遊んだせいだろう。

「だめだ駄目だ」と、おれはわめいた。「薬がないんだぞ。発作を起したりしたら大変だ。もはや死ぬほかない」

「じゃあ、いいわよ」妻がヒステリックにわめき返した。「明日、あの可愛い坊やたちのうちの誰かと浮気してやるから」

「なぜそんなことをいっておれを苦しめる」おれは裏声まじりに妻をかきくどいた。「そんなこと言わないでくれよ。性行為が心臓病の人間に悪いってことぐらい、わかってるくせに。お前はおれを殺すつもりかい」

「だから、してくれなくてもいいっていってるじゃないの」

「でも、それだと浮気するんだろ」

「ふん。男らしくない人ね」

「いいよ。そんなにいうんなら、してやるよ」おれは妻に手を出した。

おれの手を、彼女は払いのけた。「お義理でしてくれなくってもいいのよ」

「いや。お義理じゃないよ。おれだって本当は、お前を抱きたいんだよ」なかば決死の覚悟で、おれは無理やり妻を抱きしめた。

久し振りだったせいか、あっという間に終ってしまった。

「あら。もう終りなの」妻が物足りなそうにいった。「心臓をかばって、わざと早く終らせたのね。こんなの、とても我慢できないわ。明日、浮気してやるわ。あの五人の学生全部と浮気してやるわ」

「やめてくれ。やめてくれ」おれは布団をひっかぶり、あまりのなさけなさにすすり泣いた。過激な運動と苛立ちのため、すでに鼓動が乱れはじめている。いつものように妻を怒鳴りつけることもできないのだ。「死にそうだ。死ぬ。おれは死ぬ。もう死ぬ」

次の日、まだ薬は届かなかった。もはや仕事どころではない。

また大通渋谷支店の村井という男に電話をした。「柘榴島の須田ですが」

「やあ。はははは。荷物は着きましたか」

「着かないから電話したのです」

「そうでしょうね」

「とうとう薬が切れました」

「え。薬ですか。薬ってなんですか」

「心臓病の薬です」

「はあはあ」

「今度発作が起っても、薬がないのです」

「お気の毒です」

「荷物どこにあるか、わかりましたか」

「いいえ。わかりません」

「調べてくださったのですか」

「はあはあ」

「調べてくださったのですか」

「何をですか」

「荷物の行方をです」

「誰が調べるんですか」

おれは大きく溜息をついた。「じゃ、こっちで調べます。板垣支店と矢吹支店の電話番号を教えてください」

番号をメモし、おれは板垣支店の到着案内と矢吹支店に電話をかけなおした。だが荷物はどちらにもなかった。

おれはまた長距離電話を申し込み、川下医院へかけた。

看護婦が出た。「川下医院です」

「こちら、患者の須田と申しますが」

「え。え。遠いわあ、この電話」

「川下先生はおられますか」

「先生はお留守です」

「それは困ったなあ。どこへ行かれたかご存知じゃないですか」

「学会です」

「ははあ。学会ですか。それ、どこでやってるかご存知じゃないですか」

「札幌（さっぽろ）です」

「え。札幌って、北海道の札幌ですか」

「はあはあ」

「あのですね、じつは先生にいただいた薬を紛失しましてですね、それでその、そちらから改めて、至急薬を送っていただきたいのですがね」

「遠いわあ、この電話。もしもし」

「もしもし。至急ですね、あのセルペンチナアルカロイドを送ってほしいんですが」

「セルロイドですか」

「いえいえ。セルペンチナアルカロイド。あの薬の名前なんですがね」

「え。薬ですか。薬がどうかしましたか」

「至急送ってほしいんですが」

「でも、薬は先生の指示がないと出せませんけど」

「そうでしょうねえ」

「は。なんですか」

「あのもしもし。先生は札幌のどこにお泊りかわかりませんか」

「なんですか」

「先生の泊ってらっしゃるホテルです」

「螢(ほたる)ですか」

「ホテルです」

「ホテルじゃありません。こちら、川下医院といって、病院」

「いやいや。それはわかっています。先生のね、あの先生の泊ってらっしゃるホテル」

「はいはい。ちょっと待ってください。ええと、札幌クイーン・ホテルです」

「電話番号、わかりますか」

看護婦の教えてくれた番号をメモし、おれはあらためて札幌への長距離電話を申し込んだ。大声で喋るものだから息切れがし、汗びっしょりである。

札幌クイーン・ホテルが出た。電話がさらに遠くなったため、おれはあらんかぎりの大声をはりあげて、やっと電話をフロントにまわしてもらった。

「ああ、ああ。その川下先生ですか」遠い男の声がやっとおれのことばを了解して答えた。

「内科の川下先生でしたら、警察です」

「え。どうして警察なんかへ」

「新聞でご存じと思いますが、うちのホテルへお泊りになっていた内科の女医さんが暴行殺害された例の事件で、川下先生はじめ、学会でお越しになっていた三人の先生が、昨夜から重要参考人として警察へ出頭なさっています。こちらへお戻りになるのがいつか、ちょっと見当をつかないのですが」

テレビも新聞もないため、そんな事件が起っていたとはまったく知らなかったのである。警察で取調べを受けているのでは、たとえ連絡がついても薬どころではないだろう。おれはあきらめて受話器を置いた。

次の日も、荷物は届かなかった。その次の日も、荷物は届かなかった。発送してから十日経っていた。その日、村長の婆さんが電話で、妻と学生たちの淫らな振舞いが村の評判になっていることを遠まわしに教えてくれた。

そしてさらに五日経った。おれは仕事を抛ったらかしにし、終日あちこちへ長距離電話をかけて過した。文句や泣きごとや叱言ばかり言っているおれに愛想を尽かし、妻は子供をつれてとうとう東京へ帰ってしまった。あの五人の学生と一緒に。船に乗って。

電話で誰かれとはげしく言いあうたび、おれは死にそうな目にあった。動悸が乱れたこと八回、呼吸が停止しかけたこと四回、なかば意識を失うほどの猛烈な心臓痛に襲われたことも三度あった。おれはそのたびにぶっ倒れ、目前の死におびえながら床を掻きむしり、のたうちまわった。

発送後十七日め、やっと荷物が着いたという電話が清水川支店からかかってきた。届き次第電話してくれるよう頼んでおいたのである。

「では、こちらへは今日中に届きますか」

「今日の汽船はもう出ただろう。明日のになるな」と、がらがら声が答えた。

「どうしてこんなに長いことかかったんですか」

「トラック便できたからだよ」

「どうして貨車の便にしなかったんですか」

「そんなこと、おれは知らんよ」がちゃん、と、彼は勢いよく電話を切った。

翌日、汽船の到着時刻より一時間も早くおれは船着き場にやってきた。九州から朝鮮海峡の西へ抜けたという台風のため、海は荒れていた。雨は降っていなかったが、待つうちにも風はどんどん強くなった。

やがて、予定より三十分も遅れて定期船が姿を見せた。

「来た」おれは突堤(とってい)の先端で踊りあがった。「あれだ。あの船に薬が乗っているのだ」

「しかし、あの船はここへはつけられんじゃろ」いつのまにかおれの背後へ、村びと数人と一緒に台風を心配してやってきていた村長がそういった。

「な、なぜだ」おれは驚いてそう訊ねた。

「この風じゃなあ」と村人のひとりがいった。

「うん。このきつい波では、無理につけようとすれば突堤に叩きつけられてばらばらに砕(くだ)

け、転覆してしまう」村長もそういった。

「そんな馬鹿なことがあるか」おれは叫んだ。「おれの忍耐力はもはや限度まできている。これ以上待つことはできない。よし。ここへつけられんというなら、おれがあの船まで泳いで行く」上着を脱いだ。

「無茶じゃ」村長や村人たちが、あわてておれを押しとどめた。「やめなされ。溺れてしまう。いや、溺れる前に岸に叩きつけられるか心臓麻痺を起すかして死んでしまう」

「かまうものか。心臓なんかどうなってもいい。おれにはあの薬が必要なのだ」彼らの手をふりはらい、おれは荒れ狂う怒濤のまっただ中へざんぶと身をおどらせた。


そしてそれ以来、おれの気ちがいじみた冒険がはじまったのだ。

家庭を捨て、仕事も擲ち、おれはひと包みの薬を追って七つの海を渡り六つの大陸を越えた。時にはドーヴァー海峡を泳いで渡り、時にはサハラ沙漠を裸足で走破し、ある時は密林の中で土人の毒矢に追われ、ある時は氷原でシロクマと格闘し、またある時はシベリヤ横断鉄道の中でおれの薬を狙う各国スパイと銃撃戦を演じたりもした。おれの生きる道はそれしかなかったからだ。

薬はまだ、手に入らない。

不調なまま仕事をしなければならずイライラしたときに！

［文豪サスペンス］

剃刀（かみそり）

志賀直哉

〝苛々（いらいら）して怒りたかった気分は
泣きたいような気分に変って
今は身も気も全く疲れて来た。
眼の中は熱で溶（と）けそうにうるんでいる。
咽（のど）から頬、頤（あご）、額などを剃った後、
咽の柔かい部分がどうしてもうまくいかぬ。〟

コロナ以降、減ったかもしれませんが、それでも「少しくらい具合が悪くても、働け」という風潮はまだまだあります。

あるいは、自分自身で無理をしてしまう人もいます。他の者にはまかしておけないと。

しかし、いくら心は無理をしようとしても、身体が不調なら、その不調は心にも影響してきます。それが見事に描かれている作品です。

志賀直哉がこんなおそろしい小説を書いていたのかと、驚かれる人もいるでしょう。

志賀直哉

（しが・なおや）

1883－1971　宮城県石巻町生れ。東京帝国大学文学部中退。1910年、武者小路実篤、里見弴、有島武郎、柳宗悦、長与善郎らと同人雑誌「白樺」を創刊。作家になることを、実業家の父に反対され、使用人の女性との結婚問題などもあって、1912年に家を出て尾道、赤城山、我孫子などを転々としたが、1917年に父と和解。主な作品に『城の崎にて』『赤西蠣太』『和解』『小僧の神様』、唯一の長編『暗夜行路』など。1949年、文化勲章受章。

麻布六本木の辰床の芳三郎は風邪のため珍しく床へ就いた。それがちょうど秋季皇霊祭の前にかかっていたから兵隊の仕事に忙しい盛りだった。彼は寝ながら一ト月前に追い出した源公と治太公が居たらと考えた。

芳三郎はその以前、年こそ一つ二つ上だったが、源公や治太公と共にここの小僧であったのを、前の主がその剃刀の腕前に惚れ込んで一人娘に配し、自分は直ぐ隠居して店を引き渡したのである。

内々娘に気のあった源公は間もなく暇を取ったが、気のいい治太公は今までの「芳さん」を「親方」と呼び改めて前通りよく働いていた。隠居した親父はそれから半年ほどして、母親はまた半年ほどして死んでしまった。

剃刀を使う事にかけては芳三郎は実に名人だった。しかも、癇の強い男で、撫でてみて少しでもざらつけば毛を一本一本押し出すようにして剃らねば気が済まなかった。それで膚を荒らすような事は決してない。客は芳三郎にあたってもらうと一日延びが、ちがうと云った。そして彼は十年間、間違いにも客の顔に傷をつけた事がないというのを自慢にしていた。

　出て行った源公はその後二年ばかりしてぶらりと還って来た。芳三郎は以前朋輩だった好誼からも詫を云っている源公をまた使わないわけにいかなかった。しかし源公はその二年間にかなり悪くなっていた。仕事はとかく怠ける。そして治太公を誘い出して、霞町あたりの兵隊相手の怪し気な女に狂い廻る。仕舞には人のいい治太公を唆かして店の金まで掠めさす様な事をした。芳三郎は治太公を可哀想に思ってたびたび意見もしてみた。しかし店の金を持ち出すようになっては、どうする事も出来なかった。で、彼は一ト月ほど前、ついに二人を追い出してしまったのである。

　今いるのは兼次郎という二十歳になる至って気力のない青白い顔の男と、錦公という十二三の、これはまた頭が後前にヤケに長い子供とである。祭日前の稼ぎ時にこの二人ではさっぱり埒があかぬ。彼は熱で苦しい身を横えながら床の中で一人苛々していた。

　昼に近づくにつれて客がたて込んで来た。けたたましい硝子戸の開け閉てや、錦公の引きずる歯のゆるんだ足駄の乾いたような響が鋭くなった神経にはピリピリ触る。

　又硝子戸が開いた。

「竜土の山田ですが、旦那様が明日の晩からご旅行を遊ばすんですから、夕方までにこれを砥いでおいて下さい。私が取りに来ます」女の声だ。

「今日はちっとたて込んでいるんですが、明日の朝のうちじゃいけませんか？」と兼次郎の声がする。

女はちょっと渋った様子だったが、

「じゃあ間違いなくね」こういって硝子戸を閉めたが、また直ぐ開けて、

「ご面倒でも親方にお願いしますよ」という声がした。

「あの、親方は……」兼次郎がいう。それを遮って、

「兼、やるぜ！」と芳三郎は寝床から怒鳴った。鋭かったが嗄れていた。それには答えず、

「よろしゅうございます」と兼次郎の云うのが聞える。女は硝子戸を閉めて去った様子だ。

「畜生」と芳三郎は小声に独言して夜着裏の紺で青く薄よごれた腕を出して、しばらくじっと見詰めていた。しかし熱に疲れたからだは据えられた置物のように重かった。彼はうっとりとした眼で天井のすすけた犬張子を眺めていた。犬張子に蠅がたくさんとまっていた。

彼は聞くともなく店の話に耳を傾けた。兵隊が二三人、近所の小料理屋の品評から軍隊の飯のいかに不味いかなどを話し合って、しかしこう涼しくなると、それも幾らかは食べられて来たなど云っているのが聞える。こんな話を聞いているうちに、いくらかいい気分になって来た。しばらくして彼は大儀そうに寝返りをした。

三畳の向うの勝手口から射し込む白っぽい曇った夕方の光の中に女房のお梅が赤ん坊を半纏おんぶにして夕餉の支度をしている。彼は軽くなった気分を味いながらそれを見ていた。

「今のうちやっておこう」彼はこう思って重いからだで蒲団の上へ起き直ったが、眩暈がしてしばらくは枕の上へ突伏していた。

「はばかり？」と優しく云って、お梅は濡手をだらりと前へ下げたまま入って来た。

芳三郎は否と云ったつもりだったが、声がまるで響かなかった。

お梅が夜着をはいだり、枕元の痰吐や薬壜を片寄せたりするので、芳三郎はまた、「そうじゃない」と云った。が、声がかすれてお梅には聞きとれなかった。せっかく直りかけた気分がまた苛々して来た。

「後から抱いてあげようか」お梅はいたわるようにして背後に廻った。

「皮砥と山田さんからの剃刀を持って来な」芳三郎はぶつけるように云い放った。お梅はちょっと黙っていたが、

「お前さん砥げるの？」

「いいから持って来な」

「……起きてるならかいまきでも掛けていなくっちゃしようがないねえ」

「いいから持って来いと云うものを早く持って来ねえか」割に低い声では云ってるが、癇でピリピリしている。お梅は知らん顔をして、かいまきを出し、床の上に胡坐をかいているのに後から羽織ってやった。芳三郎は片手を担ぐようにしてかいまきの襟を掴むとぐいと剝いでしまった。

お梅は黙って半間の障子を開けると土間へ下りて皮砥と剃刀を取って来た。そして皮砥をかける所がなかったので枕元の柱に折釘をうってやった。

芳三郎はふだんでさえ気分の悪い時は旨く砥げないと云っているのに、熱で手が震えていたから、どうしても思うように砥げなかった。その苛々している様子を見かねて、お梅は、

「兼さんにさせればいいのに」と何遍も勧めてみたが、返事もしない。けれどもついに我慢が出来なくなった。十五分ほどして気も根も尽きはてたという様子で再び床へ横わると、すぐうとうととして、いつか眠入ってしまった。

剃刀は火とぼし頃、使の帰途寄ってみたという山田の女中が持っていった。

お梅は粥を煮ておいた。それの冷えぬうちに食べさせたいと思ったが疲れ切って眠っているものを起してまた不機嫌にするのもと考え、控えていた。八時頃になった。余り遅れると薬までが順遅れになるからと無理にゆり起した。芳三郎もそれほど不機嫌でなく起き

直って食事をした。そうして横になると直ぐまた眠入ってしまった。

十時少し前、芳三郎は薬でまたおこされた。今は何を考えるともなくウトウトとしている。熱気を持った鼻息が眼の下まで被っている夜着の襟に当って気持悪く顔にかかる。店の方も静まりかえっている。彼は力のない眼差しであたりを見廻した。柱には真黒な皮砥が静かに下っている。薄暗いランプの光はイヤに赤黄色く濁って、部屋の隅で赤児に添乳をしているお梅の背中を照していた。彼は部屋中が熱で苦しんでいるように感じた。

「親方――親方――」土間からの上り口で錦公のオズオズした声がする。

「ええ」芳三郎は夜着の襟に口を埋めたまま答えた。その籠ったような嗄声が聞えぬかして、

「親方――」とまた云った。

「何だよ」今度ははっきりと鋭かった。

「山田さんから剃刀がまた来ました」

「別のかい?」

「さっきンです。すぐ使って見たが、余まり切れないが、明日の昼まででいいから親方が一度使ってみて寄越して下さいって」

「お使いが居なさるのかい?」

「さっきです」

「どう」と芳三郎は夜着の上に手を延ばして、錦公が四這（よつんば）いになって出す剃刀をケイスのまま受け取った。

「熱で手が震えるんだから、いっそ霞町（かすみちょう）の良川（よしかわ）さんに頼（たの）む方がよかないの？」

こう云ってお梅ははだかった胸を合せながら起きて来た。芳三郎は黙って手を延ばしてランプの芯（しん）を上げ、ケイスから抜（ぬ）き出（だ）して刃（は）を打ちかえし打ちかえし見た。お梅は枕元に坐（すわ）って、そっと芳三郎の額に手を当ててみた。芳三郎はうるさそうに空（あ）いた手でそれを払（はら）い退（の）けた。

「錦公！」

「エイ」すぐ夜着の裾（すそ）の所で返事をした。

「砥石をここへ持って来い」

「エイ」

砥石の支度が出来たところで、芳三郎は起き上って、片膝（かたひざ）立てて砥ぎ始めた。十時がゆるく鳴る。

お梅は何を云ってもどうせ無駄（むだ）と思ったから静かに坐って見ていた。

しばらく砥石で砥いだ後、今度は皮砥へかけた。室内のよどんだ空気がそのキュンキュンいう音で幾(いく)らか動き出したような気がした。芳三郎は震える手を堪(こら)え、調子をつけて砥いでいるが、どうしても気持よくいかぬ。そのうちさっきお梅の仮(かり)に打った折釘が不意に抜けた。皮砥が飛んでクルクルと剃刀に巻きついた。

「あぶない！」と叫(さけ)んでお梅は恐(おそ)る恐る芳三郎の顔を見た。芳三郎の眉(まゆ)がぴりりと震えた。芳三郎は皮砥をほぐしてそこへ投げ出すと、剃刀を持って立ち上り、寝衣(ねまき)一つで土間へ行こうとした。

「お前さんそりゃいけないい……」

お梅は泣声を出して止めたが、諾(き)かない。芳三郎は黙って土間へ下りてしまった。お梅もついて下りた。

　客は一人もなかった。錦公が一人ボンヤリ鏡の前の椅子(いす)に腰(こし)かけていた。

「兼さんは？」とお梅が訊いた。

「時子(ときこ)を張りに行きました」錦公は真面目(まじめ)な顔をしてこう答えた。

「まあそんな事を云って出て行ったの？」とお梅は笑い出した。しかし芳三郎は依然(いぜん)嶮(けわ)しい顔をしている。

　時子と云うのはここから五六軒(けん)先の軍隊用品雑貨という看板(かんばん)を出した家の妙(みょう)な女である。女学生上りだとか云う。その店には始終、兵隊か書生か近所の若者かが一人や二人腰掛けていない事はない。

「もうお店を仕舞うんだからお帰りって」とお梅は錦公に命じた。

「まだ早いよ」芳三郎は無意味に反対した。お梅は黙ってしまった。

芳三郎は砥ぎ始めた。坐っていた時からはよほど工合がいい。

お梅は綿入れの半纏を取って来て、子供でもだますように云って、ようやく手を通させ、やっと安心したというように上り框に腰をかけて、一生懸命に砥いでいる芳三郎の顔を見ていた。錦公は窓の傍の客の腰掛で膝を抱くようにして毛もない脛を剃り上げたり剃り下したりしていた。

この時景気よく硝子戸を開けてせいの低い二十二三の若者が入って来た。新しい二タ子の袷に三尺を前で結び、前鼻緒のヤケにつまった駒下駄を突掛けている。「ザットでよござんすが、一つ大急ぎであたっておくんなさい」こう云いながらいきなり鏡の前に立つと下唇を噛んで頤を突出し、揃えた指先でしきりにその辺を撫でた。若者はイキがった口のききようだが調子は田舎者であった。節くれ立った指や、黒い凸凹の多い顔から、昼は荒い労働についている者だという事が知られた。

「兼さんに早く」とお梅は眼も一緒に働かして命じた。

「おいらがやるよ」

「お前さんは今日は手が震えるから……」

「やるよ」と芳三郎は鋭くさえぎった。

「どうかしてるよ」とお梅は小声で云った。

「仕事着だ！」

「どうせ、あたるだけなら毛にもならないからそのままでおしなさい」お梅は半纏を脱がしたくなかった。

妙な顔をして二人を見較べていた若者は、

「親方、病気ですか」と云って小さい凹んだ眼を媚びるようにショボショボさした。

「ええ、少し風邪をひいちゃって……」

「悪い風邪が流行るって云いますから、用心しないといけませんぜ」

「ありがとう」芳三郎は口だけの礼を云った。

芳三郎が白い布を首へ掛けた時、若者はまた「ザットでいいんですよ」といった。そして「少し急ぎますからネ」と附け加えて薄笑いをした。芳三郎は黙って腕の腹で、今砥いだ刃を和げていた。

「十時半と、十一時半には行けるな」またこんな事をいう。何とか云ってもらいたい。

芳三郎には、男か女か分らないような声を出している小女郎屋のきたない女がすぐ眼に浮んだ。で、この下司張った小男がこれからそこへ行くのだと思うと、胸のむかつくようなシーンが後から後から彼の衰弱した頭に浮んで来る。彼は冷め切った湯でシャボンをつけ、やけにゴシゴシ頤から頬のあたりを擦った。その間も若者は鏡にちらちらする自分の顔を見ようとする。芳三郎は思い切った毒舌でもあびせかけてやりたかった。

　芳三郎は剃刀をもう一度キュンキュンやってまず咽から剃り始めたが、どうも思うように切れぬ。手も震える。それに寝ていてはそれほどでもなかったが、起きてこう俯向くとすぐ水洟が垂れて来る。時々剃る手を止めて拭くけれどもすぐまた鼻の先がムズムズして来ては滴りそうに溜る。

　奥で赤児の啼く声がしたので、お梅は入って行った。

　切れない剃刀で剃られながらも若者は平気な顔をしている。痛くも痒くもないと云う風である。その無神経さが芳三郎には無闇と癪に触った。使いつけの切れる剃刀がないではなかったが彼はそれと更えようとはしなかった。どうせ何でもかまうものかという気である。それでも彼はいつかまた叮嚀になった。少しでもざらつけば、どうしてもそこにこだわらずにはいられない。こだわればこだわるほど癇癪が起って来る。からだもだんだん疲れて来た。気も疲れて来た。熱も大分出て来たようである。

　最初何のかの話しかけた若者は芳三郎の不機嫌に恐れて黙ってしまった。そして額を剃る時分には昼の烈しい労働から来る疲労でうつらうつら仕始めた。錦公も窓に倚って居眠っている。奥も赤児をだます声が止んで、ひっそりとなった。夜は内も外も全く静まり返った。剃刀の音だけが聞える。

苛々して怒りたかった気分は泣きたいような気分に変って今は身も気も全く疲れて来た。眼の中は熱で溶けそうにうるんでいる。

咽から頬、顋、額などを剃った後、咽の柔かい部分がどうしてもうまくいかぬ。こだわり尽した彼はその部分を皮ごと削ぎ取りたいような気がした。肌理の荒い一つ一つの毛穴に油が溜っているような顔を見ていると彼は真ンからそんな気がしたのである。若者はいつか眠入ってしまった。がくりと後へ首をもたせてたわいもなく口を開けている。不揃いな、よごれた歯が見える。

疲れ切った芳三郎は居ても起ってもいられなかった。すべての関節に毒でも注されたような心持がしている。何もかも投げ出してそのままそこへ転げたいような気分になった。もうよそう！　こう彼は何遍思ったか知れない。しかし惰性的に依然こだわっていた。

……刃がチョッとひっかかる。若者の咽がピクッと動いた。彼は頭の先から足の爪先まで何か早いものに通り抜けられたように感じた。で、その早いものは彼からすべての倦怠と疲労とを取っていってしまった。

傷は五厘ほどもない。彼はただそれを見詰めて立った。薄く削がれた跡は最初乳白色をしていたが、ジッと淡い紅がにじむと、見る見る血が盛り上って来た。彼は見詰めていた。血が黒ずんで球形に盛り上って来た。それが頂点に達した時に球は崩れてスイと一筋に流れた。この時彼には一種の荒々しい感情が起った。

かつて客の顔を傷つけた事のなかった芳三郎には、この感情が非常な強さで迫って来た。呼吸はだんだん忙しくなる。彼の全身全心は全く傷に吸い込まれたように見えた。今はどうにもそれに打ち克つ事が出来なくなった。……彼は剃刀を逆手に持ちかえるといきなりぐいと咽をやった。刃がすっかり隠れる程に。若者は身悶えもしなかった。

ちょっと間を置いて血が迸しる。若者の顔は見る見る土色に変った。

芳三郎はほとんど失神して倒れるように傍の椅子に腰を落した。すべての緊張は一時に緩み、同時に極度の疲労が還って来た。眼をねむってぐったりとしている彼は死人の様に見えた。夜も死人の様に静まりかえった。すべての運動は停止した。すべての物は深い眠りに陥った。ただ独り鏡だけが三方から冷やかにこの光景を眺めていた。

ねむくてねむくてイライラしたときに!

［ロシア文学］

ねむい

アントン・チェーホフ

神西清 訳

〝あいかわらず眠い、おそろしく眠たい!
ワーリカは頭を揺りかごのふちにもたせ、
なんとか眠気に勝とうとして、
胴なか全体で揺すぶるけれど、
眼はやっぱり自然にくっついて、頭が重たい。〟

ねむくて、うとうとするのは、気持のいいものです。しかし、眠ってはいけないとしたら、眠気に対抗するのはたいへんです。

「睡魔に襲われる」という言い方をするように、自分の意志だけではどうにもなりません。睡眠欲は人間の三大欲求のひとつです。食欲と同じく、長期間満たされないと、身体にも心にも影響してきますし、死に至ります。

ねむいということをテーマに、この短さで、ここまで深く描いたチェーホフはすごいです。

アントン・チェーホフ

(Антон Чехов)

1860 － 1904　ロシアの小説家・劇作家。16 歳のときに家が破産し、モスクワ大学医学部に入ると同時に、一家を養うため、ユーモア小説を雑誌・新聞に 7 年間で 400 編以上も書く。その後、本格的な文学を志し、ロシアを代表する短編の名手に。晩年には劇作に力を注ぎ、『かもめ』『ワーニャ伯父さん』『三人姉妹』『桜の園』の四大戯曲など演劇史に残る傑作は今も人気が高い。その他の代表作に『六号室』『かわいい女』『犬を連れた奥さん』など。

夜ふけ。十三になる子守り娘のワーリカが、赤んぼの臥ている揺りかごを揺すぶりながら、やっと聞こえるほどの声で、つぶやいている。――

ねんねんよう　おころりよ、
唄をうたってあげましょう。……

聖像の前に、みどり色の燈明がともっている。部屋の隅から隅へかけて、細引が一本わたしてあって、それにお襁褓や、大きな黒ズボンが吊るしてある。燈明から、みどり色の大きな光の輪が天井に射し、お襁褓やズボンは、ほそ長い影を、煖炉や、揺りかごや、ワーリカに投げかけている。……燈明がまたたきはじめると、光の輪や影は活気づいて、風に吹かれているように動きだす。むんむんする。キャベツ汁と、商売どうぐの靴革のにおい。

赤んぼは泣いている。さっきから泣きつづけで、もうとうに声がかれ、精根つきているのだけれど、あい変らず泣いていて、いつやまるのかわからない。ワーリカは、ねむくてたまらない。眼がくっつきそうだし、頭は下へ下へと引っぱられて、首根っこがずきずきする。まぶたひとつ、唇（くちびる）ひとつ、うごかすこともできず、まるで顔がかさかさに乾（ひ）あがって木になって、頭は留針（ピン）のあたまみたいに、縮まったような気がする。

「ねんねんよう、おころりよ」と、彼女はつぶやく、「お粥（かゆ）をこさえてあげましょう。……
……」

煖炉（ペチカ）のなかで、コオロギが鳴く。となりの部屋では、ドアごしに、主人と従弟（いとこ）のアファナーシイのいびきが、間（ま）をおいてきこえる。……揺（ゆ）りかごは悲しげにきしり、当のワーリカはぶつぶつつぶやく――それがみんな一つに溶けあって、夜ふけの寝んねこ唄を奏（かな）でているのを、寝床に手足をのばして聞いたら、さぞ楽しいことだろう。ところが今は、せっかくのその音楽も、いらだたしく、くるしいだけだ。というのは、うとうと眠気をさそうくせに、眠ったら百年目だからだ。まんいちワーリカが寝こんだら最後、旦那（だんな）やおかみさんに、ぶたれるだろう。

燈明（とうみょう）がまたたく。みどり色の光の輪と影が、また動きだして、ワーリカの半びらきの、じっとすわった眼へ這（は）いこむと、はんぶん寝入った脳みそのなかで、もやもやした幻に組みあがる。見ると、くろ雲が、空（そら）で追っかけっこをしながら、赤んぼみたいに泣いている。

そこへ、さっと風が吹いて、雲が消えると、ワーリカには、いちめんぬかるみの、ひろい街道が見えだす。街道には、荷馬車の列がつづき、背負い袋をしょった人たちがよたよた歩いて、何やら物影が行ったり来たりしている。両側には、冷たい、すごい霧をとおして、森が見える。と急に、背負い袋と影をしょった人たちが、ぬかるみの地べたへ、ばたばた倒れる。——『どうしたの？』と、ワーリカがきく。——『寝るんだ、寝るんだ！』と、みんなが答える。そしてみんな、ぐっすり寝入る。すやすや眠る。ところが電信の針金に、鴉（からす）やカササギがとまっていて、赤んぼみたいに啼（な）き立てては、みんなを起こそうと精を出す。

「ねんねんよう、おころりよ、唄をうたってあげましょう……」と、ワーリカはつぶやくと、今度は自分が、暗い、むんむんする百姓小屋のなかにいるのが見える。

床（ゆか）には、死んだ父親のエフィーム・ステパーノフが、ごろごろしている。その姿は見えないけれど、痛さのあまり床べたをころげまわって、うんうん唸（うな）っているのが聞こえる。彼の言いぐさによると、『脱腸（だっちょう）がおっぱじまった』のだ。痛みがひどいので、ひとことも口がきけず、ただ息を吸いこんでは、唇で（原文には歯とあるが、誤植のように思われる）

「ブ・ブ・ブ・ブ……」

と、太鼓（たいこ）をたたくような音を出すだけだ。

母親のペラゲーヤは、地主の旦那のお屋敷へ、エフィームが危篤だと、注進に駈けて行った。もうだいぶ前に出ていったのだから、そろそろ帰って来ていい時分である。ワーリカはカマドの上に横になって、まんじりともせずに、父親の『ブ・ブ・ブ』に聴き耳をたてている。するとそこへ、誰かが百姓小屋へ、馬車を乗りつける音がする。それは旦那のお屋敷から、ちょうどお客に来ていた若い医者を、差し向けてよこしたのだ。医者は小屋へはいって来る。暗いので姿は見えないが、咳をしたり、戸をかたことといわせたりするのが聞こえる。

「あかりをつけて」と、医者がいう。

「ブ・ブ・ブ……」と、父親がこたえる。

ペラゲーヤは煖炉のほうへ飛んでいって、マッチ入れの鉢のかけらを、さがしはじめる。無言のうちに一分がすぎる。医者はポケットをごそごそやって、自分のマッチをつける。

「ただいま、旦那、ただいま」と、ペラゲーヤは言って、小屋から飛びだして行ったが、しばらくすると、蠟燭の燃えさしを一つ持って帰ってくる。

エフィームの頰は桃いろに赤らみ、眼はぎらぎらして、そのまなざしは妙にするどく、さながらエフィームが、小屋のなかも医者の肚も、見とおしているようだ。

「おいどうした？　何をまた思いついたんだ？」と医者は、病人の上へかがみこみながら言う。――「おやおや！　これはもう長いことなのかい？」

「どうしたって？　なあに旦那、おっ死ぬ時が来ましたんで。……とてももう、助かりっこは……」

「馬鹿を言うじゃない。……直してやるからな！」

「お宜しいように、どうぞ旦那、ありがたい仕合せで。だが、わしらもわかっておりますが……死に神がむかえに来たものは、もうどうにもならないんで。」

医者は、ものの十五分ほど、エフィームに精だしていたが、やがて立ちあがって、こう言う。――

「ぼくには、もう何もできん。……ひとつ病院へ行くんだな。行けば、手術をしてくれる。今すぐ出かけるんだ。……どうしても行くんだぞ！　ちょいと晩いから、病院じゃみんな寝てるだろうが、大丈夫だ、手紙を持たせてやるからな。わかったかい？」

「でも旦那、いったい何に乗って行ったらいいか？」と、ペラゲーヤが言う。――「わしどもには、馬車がありませんで。」

「なあに、ぼくがお屋敷で頼んでやる。馬車ぐらい出してくれるさ。」

医者は出てゆき、蠟燭が消えて、またもや『ブ・ブ・ブ……』が聞こえる。半時間ほどすると、小屋へ誰かが乗りつける。それはお屋敷から、病院へ行く荷馬車を廻してよこしたのだ。エフィームは身支度をして、出かけてゆく。……

　さてこんどは、からりと晴れた、いい朝になる。ペラゲーヤは留守だ。病院へ、エフィームの容態をききに行ったのである。どこかで赤んぼが泣き、ワーリカの耳には、誰かしら自分の声で、うたっているのが聞こえる。――

「ねんねんよう、おころりよ。唄をうたってあげましょう。……」

　ペラゲーヤが帰ってくる。十字をきって、ひそひそ声で、――

「病院じゃ、ゆうべのうちに元へ納めてくれたけど、朝がた、魂を神さまにお返し申したとよ。……天国にやすらわんことを、とわの安らぎを。……手おくれだったんだとさ……もっと早かったらな、ってさ。……」

　ワーリカは森へ行って、そこで泣いている。と不意に、だれかが首のうしろを、力まかせに殴(なぐ)りつけたので彼女はおでこを、白樺(しらかば)の幹へぶつけてしまう。眼をあげてみると、主人の靴屋が、立ちはだかっている。

「きさま、何してやがる、下司(げす)めが？」と言う。――「子供を泣かしといて、自分は寝てるのか？」

　主人は、ぐいぐい彼女の耳を引っぱる。すると彼女は、頭を振りたてて、揺(ゆ)りかごをゆすぶり、れいの唄をつぶやく。みどり色の光の輪と、ズボンやお襁褓(むつ)の影が、ゆらゆら揺れて、彼女に目くばせするうちに、またもや彼女の脳みそを占領してしまう。またしても、いちめんぬかるみの、街道が見える。背負い袋をしょった人たちと、その曳く影が、ごろりごろりと横になって、ぐっすり眠りこむ。それを見ていると、ワーリカはたまらなく眠くなる。横になれたら、さぞいいだろうに、母親のペラゲーヤが、ならんで歩きながら、彼女を急きたてる。ふたりは奉公口をみつけに、町へいそぐのだ。

「お慈悲でございます、キリストのため！」と、通りすがりの人びとに、母親が物乞いする。――「恵んでやってくださいまし、お情けぶかい旦那がた！」

「その子をおよこし！」と、誰やら聞きおぼえのある声が、それに答える。――「その子をおよこしったら！」また同じ声がする。こんどはつけつけと、トゲのある調子だ。――

「寝てるのかい、このやくざ！」

ワーリカはとびあがって、あたりを見まわし、ことの次第をのみこむ。街道もない、ペラゲーヤもいず、通行人もいず、部屋のまん中には、おかみが赤んぼに乳を呑ませに来て、立っているだけだ。ふとった、肩幅のひろいおかみが、赤んぼに乳をふくませ、あやしているあいだ、ワーリカは立ったまま彼女をながめ、すむのを待っている。窓のそとでは、そろそろ空気が蒼みかけて、影も、みどり色の光の輪も、目にみえて薄くなる。まもなく朝だ。

「ほれ、渡すよ！」と、胸衣のボタンをかけながら、おかみが言う。――「まだ泣いている。誰かに睨まれて、虫が起きたんだろうよ。」

ワーリカは赤んぼを受けとり、揺りかごへ入れて、また揺すぶりはじめる。みどり色の光の輪も物影も、だんだん消えていって、もはや彼女の頭へ這いこんだり、脳みそを曇らせたりするものはない。が、あいかわらず眠い、おそろしく眠たい！　ワーリカは頭を揺りかごのふちにもたせ、なんとか眠気に勝とうとして、胴なか全体で揺すぶるけれど、眼はやっぱり自然にくっついて、頭が重たい。

「ワーリカ、煖炉を焚くんだ！」と、ドアごしに、主人の声がひびく。

すると、もう起きだして、仕事にかかる時刻なのだ。ワーリカは揺りかごを離れて、物置へ薪をとりに駈けだす。嬉しい。駈けたり歩いたりしていると、坐っている時ほど眠たくないのだ。彼女は薪をかかえて来て、かまどを焚きつけ、木のように硬ばった自分の顔がだんだん直って、あたまがはっきりしてくるのを感じる。

「ワーリカ、サモワールをお立て！」と、かみさんがどなる。

ワーリカは木っぱを割る。が、それに火をつけて、サモワールの下へ押してみかけたかと思うと、つぎの言いつけが聞こえてくる。――

「ワーリカ、旦那のゴム長をきれいにおし！」

彼女は床へ坐りこんで、ゴム長の掃除をしながら、このでっかい深い靴のなかへ首をつっこんで、ちょいとうとうとしたら、さぞよかろうと思う。……と不意に、ゴム長が伸びだし、ふくれだし、部屋いっぱいに満ちひろがる。ワーリカはブラッシをとり落とすが、すぐさま頭を振り、眼をむきだして、そのへんのものが目蓋のなかで、伸びたり動いたりしないように、懸命にじっと見つめる。

「ワーリカ、表の段々を洗っとけ。お得意さんに恥をかくからな！」

ワーリカは段々を洗い、部屋部屋の掃除をし、もう一つべつの煖炉を焚きつけ、それから店のほうへ駈けてゆく。仕事が多いので、一分間のひまもない。

が、辛いといったら、台所の台の前にじっと立ちづめで、ジャガイモの皮をむくほど辛いことはない。頭がしぜん台のほうへ垂れさがって、ジャガイモが眼のなかでちらつき、庖丁が手からずり落ちる。が、そばには太った癇癪もちのかみさんが、腕まくりで歩きまわって、耳ががんがんするような大声で、しゃべり立てている。苦しいといえば、食事の給仕をするのも、洗濯も、縫いものも、同じことだ。ときには、何もかもほっぽりだして、床にごろりとして眠りたくなることもある。

一日が過ぎる。窓が暗くなってくるのを眺めながら、ワーリカは、木のようになったコメカミを両手でしめつけて、にっこりする。何がうれしいのか、自分でもわからない。夕やみが、彼女のくっつきそうな眼をやさしく撫でて、もうじきぐっすり眠れるぞと、約束してくれる。

晩になると、旦那夫婦のところへ、お客がくる。「ワーリカ、サモワールをお立て！」と、おかみがどなる。

この家のサモワールは小さいので、お客さんたちが飲みあきるまでに、五へんも立て直さなければならない。お茶がすむと、ワーリカはまる一時間も一つ所にじっと立ったまま、お客さんの顔をじろじろ見ながら、言いつけを待っている。

「ワーリカ、ひとっぱしり、ビールを三本買ってこい！」

彼女は、ぱっとその場をはなれると、眠気を払いのけたい一心で、なるべく早く走ろうとする。

「ワーリカ、ヴォトカを買っといで！ ワーリカ、栓抜きはどこだい？ ワーリカ、ニシンをお洗い！」

が、やっと、お客さんが帰ってしまう。そこここの火が消えて、主人夫婦は寝床につく。「ワーリカ、赤んぼを揺すっておやり！」と、最後の言いつけがひびく。

煖炉のなかで、コオロギが鳴く。天井のみどり色の光の輪と、ズボンやお襁褓から落ちる影が、またもやワーリカの半びらきの眼へ這いこんで、目くばせしながら、彼女の頭をもやつかせる。

「ねんねんよう、おころりよ」と、彼女はつぶやく、――「唄をうたってあげましょう。……」

が、赤んぼは泣いている。精根からして泣きつづける。ワーリカにはまたもや、ぬかるみの街道や、背負い袋をしょった人たちや、ペラゲーヤや、父親のエフィームが見える。何もかも彼女にはわかるし、だれの顔も見わけがつくけれど、ただなかば夢見ごこちのせいか、どうしても呑みこめないのは、自分の手足を鎖でしばって、ぐいぐい圧しつけ、生きる邪魔をしている或る力の正体だ。彼女はあたりを見まわして、その力からのがれようと、相手のすがたを捜すけれど、どうも見つからない。とうとう仕舞いに、へとへとになった彼女は、あらんかぎりの気力をしぼり、かっと眼を見すえて、ちらちらしているみどり色の輪をふり仰ぎ、泣きたてる声に耳を澄ますと、やっとのことで、生きる邪魔をしている当の敵をみつける。

その敵は――赤んぼなのだ。

彼女は笑いだす。あきれたものだ、――こんな些細なことが、なぜもっと早くわからなかったんだろう？　みどり色の光の輪も、もの影も、いやコオロギまでが、けらけら笑って、呆れているみたいだ。

ありもしない想念が、ワーリカを支配する。彼女は円椅子(まるいす)から立ちあがって、顔いっぱい笑みくずれながら、またたきもせずに、部屋のなかを行きつもどりつする。もうすぐ、自分の手足を鎖でしばっている赤んぼから逃れられるのだと思うと、嬉(うれ)しくってぞくぞくする。……赤んぼを殺して、それから眠るんだ、眠るんだ、眠るんだ。……

笑いだしながら、目くばせしながら、みどり色の光の輪を指でおどしながら、ワーリカは揺(ゆ)りかごへ忍び寄って、赤んぼの上へかがみこむ。赤んぼを絞(し)めころすと、彼女はいきなり床へねころがって、さあこれで寝られると、嬉しさのあまり笑いだし、一分後にはもう、死人のようにぐっすり寝ている。

痛みがずっと続いてイライラしたときに！

［フランス現代文学］

ボーモンがはじめてその痛みを経験した日
ル・クレジオ

品川亮 新訳

〝こういういろんなことを
知った僕は満足している
今ではそのいろんなことを
愛している
ではまた〟

ノーベル文学賞を受賞したル・クレジオの『発熱』という短編集には、ちょっとした熱とか、めまいとか、ささいな身体の不調がきっかけで、最後には自分の世界が崩壊していく物語ばかりがおさめられている。

その中から歯痛の物語を。歯が痛いくらい、と他人からは軽くみられがちだが、当人にとっては大変なことだ。歯痛がきっかけで、何が起きて何を感じて、どうやって世界の崩壊にまでつながっていくのか、ご堪能ください。

ル・クレジオ

(Jean-Marie Gustave Le Clézio)

1940－　南仏ニースの生まれ。父はイギリス人で、母はフランス人。1963年に『調書』が出版され、ルノード賞を受賞。23歳で華々しくデビュー。第二作が短篇集『発熱』。以後、『大洪水』『巨人たち』『向う側への旅』『物質的恍惚』『マヤ神話』『チチメカ神話』など著書多数。2008年、「新たな旅立ち、詩的な冒険、官能的悦楽の書き手となって、支配的な文明を超越した人間性とその裏側を探究した」としてノーベル文学賞を受賞した。

ボーモンがはじめてその痛みを経験したのはベッドにいる時のことで、時刻は朝の三時二十五分くらいだった。マットレスの上で苦心して寝返りを打つと、その動きに抗うようにして毛布とシーツが引っかかった。目に見えない手に、胴と腰のまわりを絞りあげられたようだった。それから数分、あるいは数秒してから、ボーモンは目を閉じたまま左手でパジャマの皺とシーツのねじれを引っぱり、身体から剝がそうとした。ところがよけいに身動きが取れなくなるばかりだった。それで不快感をつのらせながら、ますます拘束衣に近づいてくるもつれ合った布を蹴った。両足が同時にシーツを突き抜けてベッドの端で剝き出しになると、その血の気のない肌が一挙に冷気に包まれた。それでもボーモンはその姿勢を保った。おそらくは睡眠の最後のなごりで麻痺していたのだろう。だが、いつのまにか生まれていた嫌なかんじが、彼の心の中で膨らんでいた。すぐれて頭の問題でありながら、同時に身体の問題でもある調子の悪さだ。脳が再び動きはじめた。認識できるかできないかぎりぎりの映像が、すばやく現れては消えていった。閉じた瞼に守られた網膜の上で明滅するそのさまは、看板のネオンを思わせた。靄のかかった川を木製のボートが流されていき、ボーモンは全力で漕いでいた。それから、自分がボートに乗っていることに気づいた。こうして物語がはじまった。ボートはひとりでに転覆し、島がゆっくりと泳ぐように近づいてきた。そして浜辺とやわらかい泥の層がいつのまにか腹の下に現れると、心地よいむずがゆさを感じさせながらボーモンを運んでいった。あるいは、リズミカルに歩道を打つ自分の軽快な足音。そこへほかの足音が、ほかの脚が突如現れる。若い女性の踊るような存在がそこにあるが、ボーモンには彼女の顔を盗み見ることができない。それでも、赤みがかったブロンドの長い髪の毛と、内側から輝くようなひどく白い両腕の持ち主であることはわかった。燃えるように輝く単語が、静寂のうちに生まれ出てきた。頭の奥、おそらくはうなじのあたりに押し込まれていたものだ。そしてそれらの単語もまた、先史時代のがらんとした真空を満たす夜の中で明滅しながら今にも文章になろうとしていて、状況節、接続詞節、疑問節へと変化しかけていた。ちょうど中段符「…」によって、単語同士が結び合わされていくように。ボーモンは、こうして襲来したものが勢力を弱めるどころか、むしろ途切れることなく先を争うようにして押し寄せてくるのを感じて、これ以上は眠れないのだと理解した。瞼がぴくぴくと震え、時折、再び閉じようとする。だがはじめは神経質そうに、それから急に、自分でもどうやったのか、なぜそんなことをしたのかもわからないまま、両目が大きく見開かれた。目が暗闇に慣れて、ものが見えるようになるまでには時間がかかる――ボーモンは常々そう聞かされてきた。だがその話に反して、ボーモンはすべてを、しかも一挙に見たのだった。彼は心臓の側を避け、右側を下にして横たわっていた。光が闇に置き換えられているという一点をのぞけば、室内は真昼間のように見えた。反転したネガ写真のような部屋だったのだ。高い天井は黒く、壁と床は灰色がかっていて、夜の白い光が鎧戸をとおして帯状に差し込んでいた。ボーモンは両目を開いたまま、よじれたシーツに締めつけられながら横たわり続けた。腕時計のたてる音がついに、水道管からの滴りのように、少しずつ彼の耳に届きはじめた。水滴の一つひとつが連なるようにして鍾乳石を形づくり、それが一ミリまた一ミリと、脳の灰白質の中に侵入していくのだ。「チッチッ、チッチッ、チッチッ、チッチッ」という音を聞き、毛布を足のほうへとはねのけた。ボーモンはベッドサイドのランプを点け、時刻を見た。午前三時三十二分。つまり、ボーモンがはじめてその痛みを体験してから約七分が過ぎていたわけだが、自分ではそのことに気づいていなかった。

ボーモンは起き上がり、薄暗い廊下と部屋を横切り、放尿し、冷蔵庫の中にあった水を大きなコップに一杯飲んだ。湿った木の床に裸足の足を交互に押し当てて、自分の部屋へと戻っていきながら、なにかが起こりつつあることをまざまざと感じた。目を覚ました時から、なにか小さな異常が自分の内側か外のどこかに発生し、それが自分の心を支配してしまったのだということをなんとなく理解していた。それが具体的に何なのかはわからない。だが、変化というものに少し似ていた。たとえば、外で突然降りはじめる雨、もしくは眼下の交差点付近で二台の車がたてた、凄まじい衝突音の記憶のような。ボーモンは、ベッドに残してきたあたたかいくぼみに戻ることなく、テーブルまで歩いていくと、椅子を引いて腰を下ろした。身震いがした。綿ネルのパジャマでは、この季節には薄すぎるのだ。だがその寒さも静寂も、そして彼の外側にあるほかのいかなるものも、ボーモンを動かすことはできなかった。今や、全身に行きわたっているすさまじい空っぽな感覚に気を取られていたからだ。そのせいでボーモンは、顔を上げたまま両腕をテーブルの端に載せるという、瞑想に耽るような姿勢を保っていた。まっすぐ前に向けた視線の先には、正面の壁があった。呼吸はきわめて浅い。ボーモンの脳はおかしな生き物、たとえば一匹のミミズめいたものと化していた。その生き物はくねくねとのたくりながら未知のものを探している。そのひんやりとした虫は、ほんのわずかばかり這い進んでから静止し、ずんぐりとした体を少しずつねじりながら背後を見ようとした。目はない。だが、アンテナもしくは蝸牛(かたつむり)の角に似たものが軟骨の塊から音もなくせり出てきて、頭蓋骨の上、ピンク色の髄膜で覆われたものの上でそっと止まる。ボーモンは突如、頭の中で身をよじるこのぶよぶよとした虫こそが自分の脳であることを、自分の知性であることを、自分自身であることを理解した。すると、未知の恐怖に呑み込まれるのを感じた。不安定で危なっかしい、この恥ずべき感情のことは、この先だれにも打ち明けることがないだろう。テーブルの上にある書類のあいだに転がっていた割れた鏡を右手で持ち上げると、自分の姿をじっと見つめた。特徴のない自分の顔が目に映った。三十五歳から四十歳、ぼんやりとした輪郭線、太っても痩せてもいない頰には、すでに髭が生えていた。まるで、死者の顔に生える髭だった。唇を開いて門歯を見る。それは歯茎の中央に打ち込まれていて、リング状の歯石がわずかに付着していた。そして両の瞳はおそらく青いのだろう。皺の寄った肉塊に、人形の目のように固定されていた。ほとんど垂直な額、髪の毛、耳、鼻の穴、顎関節のつけ根にある左右対称な二つのくぼみ。ボーモンは自分の顎の先を見た。口角、黒子(ほくろ)があった場所に残る傷痕、そしてなによりも皮膚がますます彼の視界を覆っていった。白い肌の広がりにはいくつもの穴が穿たれ、何本も毛が立っている。しなやかで健康的な皮膚、生気がなく茶色がかった皮膚、膿疱とヘルペスのできる皮膚、炎症と湿疹のできるこの組織、この途方もない地図は自分のもので、しかも彼は、まるで身体の表面を這う小さな羽虫のように、その上で迷子になっていた。ボーモンが再び動いたのは、煙草に火を点けるためだった。自分が吸う姿を眺めるのが好きだったのだ。鏡をテーブルの上に置き、積み上げた本に立てかけてから、一本の煙草を唇のあいだにゆっくりと差し込んだ。だがその夜は、習慣となっていた動作をいつもの順番どおりにこなすことができなかった。震えていたわけではない。そうではなかったのだが、うまく自分の姿を目で捉えることができなかった。なにもかもが速すぎた。もう一度、もう一度とやりなおす必要があった。煙草をパッケージに戻し、パッケージを引き出しに戻した。それからもう一度、きわめて自然な仕草でパッケージを取り出した。ピンセットのかたちにした親指と人差し指をその中に滑り込ませ、吸いたい煙草を選ぶ。肘をテーブルの端に突き立てて上腕を上げるという、その一連の動きを意識しながら、煙草を唇まで持っていく。ブックマッチから一本ちぎり取り、上から下へと擦りつける。そこでマッチは燃えなければならなかった。たった一度でいい。しっかりと一度。そして煙草の先端に火をつけてから、消える。すると煙草は、美しく劇的な身ぶりで口と喉の中へと煙を出しに出すのだ。しかしそうなる代わりに、すべてがぼんやりと進行していった。まるで煙草を吸っているのが、吸おうとしているのが、吸い終わったのが、自分ではなくて別のだれかでもあるかのように。たとえば鏡に写っているだれかだ。ボーモンは、割れた鏡を眺めるのをやめた。上半身を後ろに倒し、椅子の背もたれに体重をかけた。外では、寒さと無関心と街灯の明かりの中に、滝の音が降りてきていた。音の幕が静寂を引き裂き、歩道に沿って広がり、自動車のフェンダーを鳴らし、壁から壁へと反響し、ポスターの切れ端を剝がしていった。雨だった。あるいは雨と同じ種類のなにかだった。町のスプリンクラーかもしれないし、穴の開いた雨樋かもしれない。ボーモンは煙草の煙を吸い込んだ。両の瞳は、テーブルの表面に向けられたまま動かなかった。ちりちりする痛みをおぼえながら、散乱しているものの意味を解読していった。吸い殻でいっぱいの灰皿、古い缶詰の中の雑多なボールペン、厚紙のコースターが二枚か三枚、そして何百枚もの紙片が積み上がっていた。手前にある一枚の黄ばんだ紙に吸い寄せられた視線が、数センチ移動する。すると彼は、どうしても読まなければならないという気持ちになった。どこまでも苦しみながら細心の注意を払いつつ。

われわれはこの国の敵でもなければ、漠然とした理想主義者でもなく、フランス人なのである。平和のために平和の武器をもって、すなわち真実と献身とすべての人々への友情を武器として活動を続ける。これこそが、われわれにとっての現実主義なのである。

たとえその囚人が異なる党派や階級、国家、宗派、あるいは人種に属する人間であったとしても、拘禁に対する抗議活動に参加するのが義務であると、われわれは感じるであろう。なぜなら、われわれの行動こそ良心の証だからである。

有志三十人

読み終えたボーモンは、ついにその時が来たことを悟った。なぜなら、もうすでにそれ以上は読み進められなくなっていたからだ。頭の中では、赤い髄膜の奥に隠れ潜みながら不安を抱えている太った虫が、黄ばんだ紙の最後の一行の上でくねくねと身をよじっていた。そしてボーモンは、点線のようになったものをじっくりと数え上げていた。濁った吸盤と浮腫(むく)んだ触角で、一つひとつに触れていった。飽くこともなく、まるでこの世にこれ以上大切なことはないとでも言うようにピリオドの連なりを、より正確にはダッシュの連なりを数えては、数え直していた。それは、秘密の数字を探し求める姿に似ていた。ボーモンは一秒ごとにその数字との距離を縮めていて、最終的にはその数字こそが、この紙切れ全体に意味を与えることになるのだ。文字を書きとめられたり絵を描きつけられたりしたすべての紙片に、すべての懺悔に、すべての小説と全世界のすべての手紙に。その純粋で荘厳な数字は、疲れを知らぬ、憎しみに充ちた、見かけだけの運動をついに静止させることになるだろう。うつろな両目、凍りついた間抜けな顔のボーモン。頭を前に傾け、左手の二本の指で消えかけの煙草を挟み、鏡に写っている男に似た姿のボーモンは、口ごもるようにしてその数字を声に出した。

「四十三」

するとの歯痛が止まった。

それはきわめて謎めいた変化で、ほぼ不可避のものだったのだと私は思う。その時点までは、ぼんやりとした靄、あちらに揺れたりこちらに揺れたりするめまい、高くうねる海を思わせるものでしかなかったもの。海のほうが苦しんでいるのか、こちらが苦しんでいるのかわからなくなるような、横揺れであり縦揺れであり、数キロ四方の波や空を耐えがたく病的なものへと変化させる、視覚から来る吐き気だったもの。そのすべてが明るく晴れわたり、鋭い陽光に似た、はっきりとした痛みが出現しはじめた。それは、ボーモンの顔面全体の中で、一つの位置を明確に占めていた。顎の内側、口の奥、おそらくは親不知(おやしらず)の下か、神経を抜いた臼歯の下、左側だ。今のところ、深刻なものではまったくない。かなりりとして明確な、小さな痛み、おそらく歯茎の表面のできもの、もしくはつかの間の神経痛、アスピリンのカプセルを舌に触れさせるだけで、消えるようなものだ。ボーモンは身体を起こし、消えた煙草を鉄の灰皿の底で潰した。割れた鏡を、今度は左手で持つ。口を開け、内側を眺める。息の水蒸気のせいであまりよく見えず、テーブルの上の汚いハンカチを持ち上げて鏡を拭った。そして、鼻の中がすぼまり通り抜ける空気が細い筋状になるまで肺一杯に空気を吸ったあと息を止め、電球の反射光を口の奥へと向ける。だが異常はなにも見られなかった。当然ほとんどの歯が詰めものをされているが、歯茎は健康そうだった。ボーモンは鏡を反対の手に持ち替えると、ボールペンを使って左側の臼歯を一つひとつ叩きはじめた。痛みの正確な根源を突き止めようとしているのだ。だが見つからない。すべての歯が打撃を感じ取ってはいたものの、それ以上ではなかったのだ。つまり、正確には虫歯ではないということだ。同じボールペンを使って、ボーモンは臼歯と親不知のまわりの歯茎を擦りはじめた。今度も無駄だった。たしかに、その二本のあたりはより敏感になっていた。だが痛みと呼べるほどの感覚ではなかった。それはむしろ、歯周病や歯肉炎、そして各種神経痛に冒された歯列の示す正常な反応だった。とにかく、膿瘍の兆候はなにもない。ボーモンは半ば安堵して、鏡を置いた。ほんの少しのあいだ調子がましになったようにすら感じられた。ベッドに再び横になり、明かりを消した。だが枕に乗せた頭の中で、痛みが不意に目覚めた。その強烈さに、ボーモンはうなりはじめた。ためらうことなく明かりを点けなおしてベッドから飛び出ると、テーブルの引き出しを漁った。そして、アスピリンの入った筒状の容器と、睡眠薬を二錠取り出す。台所に戻り、コップになみなみ一杯の冷たい水を薬剤とともに飲んだ。ボーモンは立ったまま、薬が食道を下っていくのをしばらく待ってから、再び横になった。そしてシーツの隙間に身を隠して、奇跡のような変化が訪れるのを待つのだった。存在全体が溶けこんでいくあの液状の空間、祝典の開始を告げるファンファーレのように華々しいあの混沌を。眼球が突然、眼窩の中でくるりとひっくり返り、実り豊かな夢の贈り物を彼方に、はるか彼方に、降りしきる雨にかすむ景色のように出現させる、あのだまし討ちにも似た瞬間を。だがその痛みは、今やはっきりとした痛みであり、著しく強さを増していた。そしてすでに、顔は表情を刻々と変化させ、汗のようなものがうっすらと両掌と両足の側面を濡らしていた。ボーモンは目の前に、見知らぬ悲劇の世界への扉が開くのを感じた。不安が美しいものとされるもう一つの世界、もう一つの大地の記憶に取り憑かれたすさまじい風景。静寂と安らぎ、明るい色の目をした獣たちと、水辺のように鎮まりかえった神経が支配するところ。だがボーモンはすでに、この旅のもたらす単調な悲しみを感じていた。かつて休息場所だったところから追い立てられ、狭苦しい空間という小さな地獄に向かって突き進んでいる自分を感じていた。きわめてまろやかな夜の思い出や、過去を忘れることの甘やかさが、彼の内側で、懐かしさのあまり苦しみの訴えを囁いていた。それは、柳が並び、煙のたなびく中をカモたちが低く飛んでいく、長い川の岸辺に似た光景だった。外ではあいかわらず水の幕が、十字路で交差する道路に沿って音をたてながら広がっていた。時折、自動車が通り過ぎ、アスファルトの表面に音の筋を残していった。あるいは、地面を打つ男の足音もあった。それは無から生まれ、無へと向かっていくおだやかな音だった。

ボーモンは再びベッドに身を投げ出し、身体を丸めた。それでもなお期待はあった。正確には、それがどんな期待だったのか、私にはわからない。酸の浸透、鎮静剤の吸収、睡眠、平穏、そういったところだったのだろう。実際に痛みは遠のいた。網膜に映し出される映像の数は減り、人工的な麻痺状態が、若干の苦い味とともにボーモンを充たしていった。きわめて長くて外壁が窓だらけの一棟の建物が練り歩きはじめた――その落下は、ほとんど永遠に続くようだった。だが三六四〇階目のあたりで、ボーモンは歩道に突きあたる。最初に接地した左脚はきれいに砕けた。それから残りの全身がひっくり返り、見えない軸を中心に回転した。地面が右の脇腹を打ち、肩と頭がそれに続いた。痙攣に似た十分の二秒か三秒かがあり、すべてが終わった。死者の血液が、両の目、鼻の穴、そして耳から路上へとあふれ出し、排水溝の勾配にそってゆっくりとなめらかに流れていった。

ボーモンの痛みは戻っていた。アスピリンの効果はなかった。あるいは、ないに等しかった。三十分のあいだに痛みは五倍になっていた。今や顎の一箇所、親不知と神経を抜かれた臼歯の周辺に限定されたものではなくなり、左耳から顎の先にいたる全域に広がっていた。その一帯ではすべてが振動していた。不可解なうねりが、波のように絶え間なく退いては押しよせ、干渉点でぶつかり合っては砕けていた。顎の半分が闇の中で巨大化し、周囲にあるものすべてを押しのけようとしているようだった。コンクリートと鉄骨でできたバロック様式の建物が今、ボーモンの頰を長く引き伸ばしつつあった。ほんものの重みだった。頭を動かすたびにそれが部屋の空気の中でぐらつき、そのまま残りの全身とともにに底なしの淵へと、マットレスや床板、階層、導管、地層などを突き抜けて、どこまでも落下して行きかけた。だからつねにバランスを保ち続け、さらに強く、もっと強くと歯を嚙み締めておく必要があった。ボーモンは目を開いた。夜にもかかわらず、痛みにもかかわらず、部屋の中はいまだに鮮明に見て取れた。細部にいたるまで精密に描かれた絵のようだった。ただし今ではすべての物が、すべての家具、すべてのプラスティックや木材の表面が、新たな様相を見せているようだった。あらゆる角(かど)はさらに角張(かどば)り、影の部分と白の部分の差はより際立っていた。すべてが、そう、よりはっきりとしていたのだ。なにもかもに偏執狂じみたきれいさがあった。限界ぎりぎりまで自分自身であろうとする意志だ。本は、ほとんど自分自身を戯画化したようにどこまでも本だった。表紙は新しく、製本糊はギラギラと容赦なく輝いた。テーブルは馬鹿みたいにテーブルで、ずんぐりとした四本脚が、必要な程度をはるかに超えた力を振り絞って木の天板を支えていた。酒のボトルは、かつてなかったほどひしと中身を抱えていた。ただひたすら抱えに抱える、それだけをしていた。天井にはゾウを思わせる情け深さがあった。緑がかった自分の身体を、軽々と四枚の壁で支えている。その姿は、離陸しようとしているDC-8機そのままだった。鎧戸は窓の外側で閉じていた。それにしても、そのすさまじいまでの注意深さと精確さ！　それから窓ガラスは透明だった。銀行員が誠実なのと同じくらいに。そして空気は空気だった。酸素＋オゾン＋炭酸ガス＋窒素だ。そして部屋は部屋であり、それ以外の何ものでもなかった。おごそかで真面目で、自分の任務に集中していた。万有引力の法則も完璧だった。足りないものはなにもなかった。なにひとつ欠けていなかった。バカロレア受験生が書いた、ニュートンの法則に関する小論文にも似た素直さで、漆喰で出来たコーニスからは埃が落下し、三半規管付近にある耳管には圧力がかかっていた。ボーモンは、頬を下にして横たわったまま、すべてを見つめ、すべてを噛みしめていた。そして左顎の上で、この鉄筋コンクリート建築の、標準的な設計図に基づいて作られたこの壮麗な建物のバランスを、必死に取ろうとしていた。まるで、町全体の未来がその一点にかかっているようだった。今や、その屋敷の中で暮らしているのは、ボーモンの身体だった。ボーモンは、痛む顎から貝殻を、巨大で調和に充ちた一軒の住まいを作り出したのだ。歯科医を待ちながら、必要なだけその中で暮らすつもりだった。たとえそれが一日だろうが二日だろうが、一週間だろうがおそらく。ところが、完璧を追求する気持ちが度を越し、余分な一階層分が足され、構造体に贅沢な優美さが加わったために、その建物は崩壊した。まずは左から右にゆっくりと揺れ、それから一挙に、怒りと痛みの叫びをあげながらベッドの上に崩れ落ちた。毛布を押し潰し、盛り上がった白い枕を真っ二つにした。ボーモンは目に涙をためて飛び起き、立ちあがった。再び電灯を、今回は天井の照明を点ける。熱に浮かされたようにテーブルの引き出しを開け、筒に入った解熱鎮痛薬を見つけ、カプセルを一つ取り出し、舌の上に載せてから、プラムブランデーかなにかのボトルを開けて、たっぷりと一口ラッパ飲みにした。それからベッドの端に腰を下ろして待ち構えた。家の背後で、教会の鐘が四時を打った。長々と続くか細い音が、あたり一帯に広がっていった。ボーモンは立ち上がり、ぐるぐると歩き回り、煙草をもう一本点けた。プレーヤーにレコードを載せる。エンリコ・アルビカストロ、[*] ホアン・クリソストモ・アリアーガ、[**] セロニアス・モンク、[***] もしくはおなじようなテイストのなにかを。室内に強拍が立ちのぼっていくのを聴いた。だがそれはもはや鮮明ではなかった。そして、そこから結実するハーモニーには霧と悲しみがたっぷりと混ざり合った。押し殺された喧噪が家具と家具のあいだをゆっくりと漂っていった。光の暈（かさ）と煙の輪が、その全体にくまなく織り込まれていた。ボーモンは不平を漏らすこともなく混乱の中で憔悴しながら、左の頬を掌で支えたままレコードを最後まで聴いた。すべてが終わると立ち上がり、プレーヤーの電源を抜き、部屋を出た。空（から）っ

*十七〜十八世紀にかけてのドイツの作曲家。
**十九世紀のスペインの作曲家。
***アメリカのジャズ・ピアニスト。一九一七〜一九八二年。

ぽのアパートの中を少しのあいだ彷徨いながら、すべての明かりを片端から点けていった。ねじれ曲がった恐怖が、脳の中に入り込んでいた。ここ十年ほどは忘れたと思っていた恐怖だった。カーテンやウールの壁掛け(タピスリー)の前、影と霧の溜まる襞の前では必ず感じていた、ひそかな不安だ。ボーモンは急に、ピンポン球になりたいと感じた。そして家の中を端から端へと、狂ったように跳ね回るのだ。白みがかった稲妻、捉えることも消すこともできない存在と化し、どこまでも軽く、軽く、軽くなるのだ。ボーモンはますます速度をあげて、一つの部屋から別の部屋へと歩き回った。痛みに駆り立てられて視線を定めたままなにも考えず、いかなる意識を持つこともなく。だがそれでも、目覚めた一匹の蠅が少し足をこすり合わせるだけで、一匹の木食い虫が腐食した壁の装飾を齧り剝がす音が少し聞こえてくるだけで、あの汚らわしい恐怖で爪先から髪の毛の先まで震えあがるのだった。

目の前を映像が流れていた。差し込み錠のかかった扉、閉ざされた、ぴたりと隙間なく閉ざされた鎧戸、空っぽの部屋、いつもと変わらない顔つきのクローゼット、おとなしい肘掛け椅子、だれも隠れていないベッドの下、奥までまる見えの静かな廊下。ついに耐えきれなくなったボーモンは、食堂に飾ってあったインドの短剣を外してパジャマの腰紐に差した。それから、寒さを感じて縞模様のパジャマの上に、レインコートのようなものを手早く身に着けた。その時のことだった。廊下の前を通過しようとしていたボーモンは、電話に気づいた。必要最低限の動作で番号を回した。そして受話器を外し、間抜けな声で繰り返しはじめた。

「もしもし？　もしもし？　もしもし？　もしもし？　もしもし？　もしもし？　もしもし？　もしもし？　もしもし？　もしもし？」電話線の先で呼び出し音が鳴っているあいだ、何分間もそう繰り返した。ついに、鼻にかかったような女性の声が突如響きわたった。

「もしもし？」

「もしもし？」

「もしもし？　どちらにおかけですか？」

「もしもし？　ポール、きみかい？」

「はい、そうです。だれ？」

「ポール、きみかい？」

「ああ……あなた？　なにがあったの？　おかしいじゃないの、こんな時間に電話してくるなんて！」

「ポール、ポール、苦しいんだ。もう耐えられない。ほんとだよ。これ以上がまんできない。だからきみに電話したんだ」

「なにがあったの？　どこが痛いの？」

「わからない。でもすさまじいんだ。耐えがたい。ほんとだよ。顎の中、顎の奥のほうだ。でもなんなのかわからない。すごく痛い。どうしたらいいのか、おれは……」

「どうしたの？　どこが痛いの？」

「わからないんだよ……ほんとに。顎の中がすごく痛むんだ。止まらないんだよ」

「歯が痛いの？」

「ちがうちがう……そうじゃなくて。歯そのものじゃなくて。もっとひどいんだ。なんなのかわからないけど歯が痛いのとは違う。うずくんだ。きみには想像がつかないだろう。ほんとにすさまじくひどいんだ。もうこれ以上がまんできない」

「ねえ、なんて言うか、わたし……」

「ごめん。起こしてしまってごめんよ。でも眠れなくなって。痛過ぎて、きみと話さなきゃやりきれなくなったんだ。わかってくれるかい？」

「大丈夫よ。わたしだってほんとうに寝てたわけじゃないし。でも……でもとにかく寝てみて。身体を休めて、気持ちを落ち着かせてみるの。明日になったら歯医者に行って」

「でも今すぐ歯医者が必要なんだよ。ポール、ほんとなんだ。大げさに言ってるわけじゃないんだよ。耐えられないんだ」

「そうね。わかる。でも明日まで待つの。そうするしかないでしょ？　こんな時間に歯医者を起こすなんて無理なんだから……ところで今何時なの？」

「でもほんとに、待つなんて無理なんだ。もう待てない。どうにかしなきゃ」

「四時十分か……うん、わかるよ。でもどうしたいの？」

「ポール……」

「正確にはなんなの？　膿瘍？」

「わからない。きみは……」

「歯茎を見てみた？　真っ赤になってる？」

「いいや、なんにもなってない。見てみたんだよ。ほんとうになんなのかわからないんだ……まったく……ぜんぜん赤くないんだよ。顎の内側が、顎全体が痛いんだ。今では頭全体が痛くなってて……」

「薬飲んだ？　薬を飲んで」

「薬は飲んだ。アスピリン、睡眠薬、鎮痛解熱剤、その手のをたっぷり飲んだ。なんにも効かなかった」

「座薬は試した？」

「いいや、持ってない。でもなにかすごく強いやつが必要なんだと思う。モルヒネとかそういうやつ。でもうちにはない。早くなんとかしなくちゃ。ポール、どうしたらいいかわからないんだ」

「さあ、わたしにはなんとも言えないけど。持ってる薬を追加で飲んで、眠れなくても目を閉じておくの」

「夜間営業の薬局に行ってもいいんだけど、どっちにしろ処方箋がない。しかもおれに必要なのは阿片みたいなやつだから」

「そうね。そういうのには処方箋が必要ね。明日になるまで待って。明日の朝になったら歯医者に診せるの。そうしたらなにもかもうまくいくから」

「ポール、でももう待てないんだ。ほんとだよ。もうだめになりそうなんだ」

「わかってる。でも待つの。そうするしかないでしょ？　もしわたしの知り合いに……」

「だいいち、歩くのも無理なんだ。ほんとだよ。頭全体が痛くて破裂するんじゃないかっていうかんじなんだ。すさまじいんだよ。しかもそれだけじゃなくて……ポール、聞いてる？　聞いてるかい？　ポール？」

「うん、聞いてる。どうしたの？」

「ほんとにわかんないんだよ。まったくバカみたいな話なんだけど、その……こわいんだ。ほんと、バカな話だってことはわかってる。でも、痛みのほうがおれより強いんだ。こわいよ。ひとりぼっちじゃ無理なんだよ。どういうことかわからないけど、もう無理なんだ。なんなんだろう。疲れとかかな。なんだかいきなり死にそうなかんじがする。なんかひどいことが起こるんじゃないかって気がするんだ。大災害がね。なのに、こっちはまったくの無防備で。こわいよ、ポール。こわいんだよ」

「いいから聞いて。横になって明日の朝まで待つの。冷静になって。すぐ良くなるんだから。でもね、横になって身体を休ませなくちゃだめ。いい？　明日にはぜんぶ終わるから」

「ちがうちがう、終わりっこない……こわいよ、ポール、わかる？　こわいんだよ。わけがわからない。こんなのはじめてなのにこわいんだ。なにがこわいのかもわからない。いや、わかってると思う。でも、理解できないんだ。このあたり一帯にいるんだよ。なんだか人がおおぜいいるかんじがするんだよ。そいつらがおれを殺しに来る。うちの中に入ってきていて、そこらじゅうをうろちょろしてる。カーテンの裏に隠れてたり、ベッドの下とか廊下とかキッチンとかにいたりするんだ。で、そいつらを見てやろうとしてすばやく振り返ったりすると、おれは殺されるんだ。それか、そいつらはおれが横になる瞬間を待ち構えてるんだ。ポール、わかるだろ？　もう横になることができないんだよ。おれがベッドに入ったら、そいつらがナイフを持ってやって来て、背中を突き刺してくる。ポール、ほんとうなんだよ。あいつらはやって来る。その瞬間だけをじっと待ち構えてるんだ」

「お願い。子どもみたいなこと言うのはやめて。落ち着いてちょうだい。そんなのほんとのことじゃないってわかってるでしょ。熱が出てるのよ。たぶん膿瘍。横になって休まなくちゃ。睡眠薬を飲んで。それからとにかくリラックスして。もうなんにも考えちゃだめ。ね？」

「そんなの無理だよ。ほんとうなんだって。こわいよ。おれよりも強いんだから。痛いし、こわいんだよ」

「ねえ、明日の朝一番で会いに行くから。でもまず休んで。わかった？」

「ポール、明日じゃだめだ。お願いだよ。今すぐ来てくれよ」

「そんなこと無理だってわかってるでしょ。両親が許してくれっこないの。あなたの電話で起こされて、カンカンになってるんだから。もう切らなくちゃ。ごめんね。でも今行くのはまったく不可能なの。約束するから。明日の朝一番、八時とか九時にはそっちに行くから」

「今すぐ来るのは無理なの？」

「うん、完全に無理。行けるなら行ってる。でもほんとうにだめなの」

「どうしよう。これからどうしたらいいのかわからなくなった」

「休むのよ、さあ」

「どうかな。だめだったんだ。ひとりになっちゃいけなかったんだ。おれは……」

数秒間、二人は口を閉ざした。ボーモンは、電話機の傍らにあるスツールに腰かけていた。顔面の半分が、石のようになっていた。花崗岩なのだろう。硬いと同時に脆く、青く膨れた細い静脈に覆われている。すべての組成物が、しわがれて甲高い歌声、痛みと怒りの叫びによって、そこに凝集されているようだった。若い女性の声が、再び耳に届いた。その響きはどこか変化していた。おそらく隔たりが生まれたということなのだろう。あるいは疲れだ。彼女はこう言った。

「わかってちょうだい。無理な頼みごとなの。まったく不可能なの」

ボーモンは身じろぎもしなかった。両目は瞼の下で凍りついていた。まるで、涙が氷結したようだった。耳障りで悲しげな詠唱に、むさぼるように耳を傾けた。それは顎から放たれ、ボーモンを廊下の壁と一体化させようとしていた。右手はすでに、受話器を耳から離していた。自分がこの世を離れようとしているのを感じた。ぼろぼろになり、茫然自失の状態で身をこわばらせて。

声が続いていた。ひどく鼻にかかっている。

「聞いてちょうだい。ほんとうに完全に無理なの。でも明日の朝一番で会いに行くから。

あなたは身体を休ませながら待ってて。なんなら歯医者にもわたしが電話してあげる。ぜんぶ大丈夫になるから。心配しないで休んでて」

ブーンという電気的な音がその若い女性の声を断ち切った。チュール生地のカーテンと窓ガラスのあいだに囚われた青蠅（アオバエ）のように、それは言葉と言葉のあいだに割って入ったのだった。

「ねえ、聞いてる？　聞こえてるの？　もしもし？　答えて。お願いだから」そして、「もしもし？　もしもし？　そこにいる？　もしもし？　もしもし？　聞こえる？　もしもし？」

ボーモンの腕は、今や身体に沿ってだらりと伸びていた。遠くに、すごく遠くに、電話のジージーという音が聞こえていた。だが、耳を傾けて理解したいという気持ちが失せていた。受話器を耳まで持ち上げるというその動作について考えただけで、気分が悪くなり吐き気がしそうだった。廊下の壁紙を見つめた。疲れで両目が焼けるようだ。顎で鳴っている歌は、今では重々しさを増していった。だらしないうねりをともないながら振動し、脊柱と両腕両足に沿って降りていき、それぞれの先端部で止まった。そしてとりわけ頭頂部、脳の天辺あたりでは、色のない弱々しい爆発が起こり、ガソリンの炎のように広がっていった。ボーモンは、その振動にすっかり呑み込まれていた。溺れていたのだ。それよりもさらに遠くで、もしくはより精確を期するなら、まるで仕切り壁の向こう側から聞こえてきたかのように、電話がガチャンと音をたてた。あの若い女性が、電話線の向こうにある自宅で電話を切ったのだ。それから彼女は、バスローブと黒いナイロン生地のネグリジェを締め直し、自分の部屋へと歩きながら、枕から頭を持ち上げた母親に向かって、細く開いた扉の隙間からこう囁きかける。「ママ。なんでもない。なんでもないの。おやすみなさい」

廊下のスツールにひとり取り残されたボーモンは、自分が奇妙な怒りに満たされるのを感じた。なにか冷たくて尖ったものだ。その感覚が、たとえば右手では放電を起こし、彼は弾かれたように立ち上がった。たったひとり、木の床の上で電話機から解放され、筋肉と腱に全身を覆われたその姿はまるで、急に脱皮をして、パジャマやレインコートやインドの短剣だけでなく、自分の皮膚も、熱っぽく伸びきった古なじみの白い皮膚までも脱ぎ捨てたかのようだった。顎を前に突き出し、自分の部屋を目指して床の上を進んだ。かすかな空気の流れが、開いた口を通り過ぎ、肺の中へと下りていった。そして出てくる時には生ぬるくなっていて、臭いと炭酸ガスが充塡されている。呼気はそのまま屋内の大気の中心へと漂い、組成割合と温度をかすかに変えていった。つまりそういうことだ。生とは、まったくなんでもないもの、画一的でぼんやりとした現象、構成要素へと容易に還元できるものなのだ。そして痛み、振動と図形で構成されたこの支離滅裂な受難。この痛みは空気の細い流れに乗って広がり、周辺にある物と肺とを結び付けていく。痛みとは二本の根を持つ植物なのだ。一本は人体の内部に突き刺さり、もう一本は物体の表面に彫り込まれている。ちょうど壁掛け（タピスリー）に織り込まれた花のように。この思いがけず手に入った新しい器官は、彼の内と外で大きくなりつつあった。それとともにボーモンは、自分自身の死の兆しを受け取っていた。それとなく、石材と漆喰、紙、布地、そしてガラスを見せられていたのだ。そういうものの存在を知らされ、そちらの方向へと押しやられていた。非人間的な静寂のほうへ、時間の流れが止まり、動きが感じられなくなり、そして感覚が永遠のものとなる、謎めいた秩序のほうへと。この方形台座はボーモン自身だった。この薄汚い黄色、この瓦礫、この家具、虫食いだらけになったこの木片、絵を描き付けられたこの板、すべては彼自身だった。ベッドに、山積みになったシーツと毛布の上に倒れ込むと、ボーモンの体重は静かに支えられた。明かりを消すこともなく、枕のほうへと、ボーモンはマットレスの上を這い進んだ。そしてやわらかい塊に頭を載せると両の瞼を閉じた。

　暗闇の中で、苦痛はさらに大きくなったとしか言いようがなかった。さまざまなかたちを取る構造体ではなくなっていた。まっすぐで鮮明な、明るかったりくすんでいたりする一つの記号と化していた。堂々たるI（イ）の字のようなものが、ボーモンの全身を串刺しにしていた。その姿勢は今、固定されている。そして最期の時まで、歯科医や口腔外科医などに診せる時までその姿勢を保ちながら、為す術もなく苦痛のまわりをぐるぐる回転し続けなければならなかった。すなわち垂直の暴力だ。今後ボーモンがなにをしようとも、それは変わらない。再び身体を起こし、ベッドの端に腰かけ、サイドテーブルに置いてあるラジオのガラス部品に映った自分の姿を見つめ、煙草を手に取り、火を点ける勇気が湧かないまま床に投げ捨てる。それでもなお、ボーモンは常に直立し続けるのだ。両脚を伸ばして突っ立ち、身をこわばらせ、麻痺し、取り乱したまま。

それからボーモンは酒のボトルを手にして飲みはじめた。そうすれば顎がどこかにいなくなってくれるというわけではない。そうではないのだが、酔いはボーモンを後退させていった。四時半頃になると、自分の顎から約二メートルのところにいた。そのありさまは、骨と歯茎に打ち込まれた巨大な釘を全力で引き抜かなければ、傷口を押し開いて外に逃げ出すことが出来ないという状況に、わずかばかり似ていた。窓の外から聞こえてくるざわめきが増していた。流れ落ちる滝の音は少し前に止まっていた。それに代わって、自動車のタイヤの軋りや、人の足音や、シャッターを引き上げる大きな音がしていた。あと二時間から二時間半もすれば夜が明けるだろう。ベッドに寝転がったまま、ボーモンは酒の最後の一口を飲み干しつつあった。時折、ひとり言を漏らした。文章ではなく短い単語を、飲みながらぶつぶつと呟いた。「イタッ」、「イテテ」、「うぅ」、「あぁ痛い痛い」、「うわぁ痛い」、「痛いよぅ」のような言葉だ。液体は食道を流れていき、ボーモン自身はからからに乾いていた。ベッドの周辺では、一平方センチごとの水分含有量がゼロになっていた。それは木の床板、壁紙、漆喰、鎧戸、灰、すべてが乾燥していた。砂漠だった。それはまるで巨大なスレート板のようでざらざらと埃っぽく、空気が表面をかすめると、紙やすりをかけるような音がした。部屋の大気は立方体状で、掃除機の紙パックのように、微粒子、薄皮、髪の毛、綿埃、熾（おき）、棘（とげ）、やすり屑、錆で満ちあふれていた。どこにでも入っていっては腐食させる不快な砂、ボールベアリングを止め、空間をつなぎ合わせ、バラバラのものをセメントで接合していく砂状のものでいっぱいだった。

ボーモンは今、山積みになった砂利の上に座っていた。そしてその身体は、ミイラじみた老けかたをしていくようだった。傷ついた顎は奇妙な骨だった。やや黄色く汚れていて、表面には、神経が草のように逆立っている。皮膚そのものは、かつてはあれほどいきいきとして汗と心地よいあたたかさをはかりしれないほどたたえていたあの皮膚は、もはや一枚の毛布でしかなかった。虫食いだらけですり切れた、飾り房と雑な糸目だらけの古い馬着だ。世界はゆっくりと、フランネルのおかしな交響曲となりつつあった。灰色のものもあれば、赤いものもある。あるいは茶色、もしくは青みがかったものも。それらが炎症を起こし、互いに引っ掻き合っていた。壁の毛織物はライトベージュ色の空気を、オレンジ色の刺繍は電球の丸いひとりぼっちの点を。夜は布袋の生地となり、鎧戸の編み物を、あるいは瓦屋根の綿ネルを、磨り減らしていた。窓ガラスのナイロンは壁の毛織物と、ライトベージュ色の大気は黒っぽい綿繻子の床と、擦れ合った。それから毛布、そこここにあるさらなる毛布、シーツ、ニット、タータン、スエード、分厚くてこわばったベルベット、コットン、ポリエステル、モスリン、毛皮、綿布。綿布はそこら中にいくらでもあって、ほとんどわからないくらいかすかな動きで互いに擦れ合い、大量の毛と粉を周囲に撒き散らし、同時に単調な疲労の歌を聞かせていた。その独特で調子の外れた音の中では、ボリボリ、ゴリゴリ、カリカリという音が途切れなく、あてもなくひしめき合い、町の喧噪を呑み込むほどにまでなった。下顎骨の中に、咀嚼運動の中に囚われたボーモンは、壁飾り(タピスリー)の裾、もつれた毛糸の玉、なにか死んだもの、なにか可燃性のものなのであって、縞柄のパジャマの木綿に包まれたまま身体を丸め、屍衣(しい)を思わせるレインコートのオイルクロスの裾に全身を締めつけられていた。そして彼はそこで生きていた。横になり、織機の残骸の上で縫い合わされながら、周囲で動くさまざまなものを感じ取っていた。

　そうしているうちに日の光が差し込み、部屋の中に居場所を見つけた。電灯は変わらずおなじところにあり、電線の先に吊された梨形のガラス球の中で燃えていて、その上では蠅が眠っていた。金属音、ヒールの打撃音、自動車のざわめきが高まっていた。時折、今はまだ唐突に感じられる叫び声が、大きく開いた口から放たれ、無数の窓に向かって呼びかけた。「ジェローム」と。あるいは、弔鐘のようなものが建物のファサードに響きわたっていった。おそらくは教会の朝課なのだろう。

七時十分頃、ボーモンは起きあがった。もはや顎もなければ歯茎もなかった。親不知も神経を抜かれた臼歯もなにもかも。今では顎髭がかなり伸びていて、右頬にふさふさと生えていた。よろめきつつ廊下を進んだ。口の前にあるものを押しのけながら移動しているような姿だった。息はアルコール臭いのだろう。それが三角形のかたちに吐き出されていた。線の先にぶら下がっている受話器を手に取り、右手で番号を回した。80-10-10。立ったまま無言で待った。呼び出し音が五回か六回、あちら側で鳴った。海に面した部屋の中、抜け殻のように服が散乱している白いベッドの傍らで。だが応える者はおらず、ボーモンは電話を切った。それはごく単純でほとんど後悔のない動作だった。ボーモンの両目には霧のベールがかかっていた。それから彼の人差し指は、十個の数字が記されている円盤へと戻った。89-22-81。電話が鳴っていた。ボーモンの頭上の壁には、古い写真がピン留めされていた。本からの切り抜きだ。髭を生やし、白いスータン*を着た男が写っていて、その下にはこう記されていた。

ドゥ・フーコー神父**

ベニ＝アッベスの修道院にて

四回目で、応える声がした。

「もしもし？」

「もしもし？」とボーモンは言った。弱々しい声で、相手には聞き取れなかった。

「もしもし？」と声が繰り返した。

「もしもし？」とボーモンはもう一度言った。

「もしもし、どなたですか？」

「ボーモン」とボーモンが言った。

「だれ？」

＊カトリック教会の聖職者が着る平服。
＊＊一九一六年にアルジェリアで暗殺されたフランス人の神父。二〇二二年に福者に列聖された。

「ボーモン。僕は……」

「ボーモンってだれ？　だれにかけてるんです？」と声の響きが高まった。

「こういうことなんです。説明しますから」とボーモンは言った。「夜のあいだ一睡もしてません。おそろしく痛むんです。顎の中が。すさまじい痛みです。昨晩は一睡もできなかった。それを……それをがまんするには酔っ払う必要があったほどです。わかりますか？　だから電話をかけてみたんです。友だちに。うちに来てもらいたかった。わかりますか？　こわかったんです。頼んでもだめでした。説明しても彼女は来てくれなかった。適当に、口からでまかせの言いわけをして。夜遅すぎるって言ったんです。両親が、夜出かけるのを許してくれないとかなんとか。それで彼女は……」

「そんなことが私とどう関係してくるんだ？　そもそも、あんたいったいだれなんです？」

「彼女は嫌がったんです。朝四時のことで、眠りたがった。わかりますか？　眠るほうがよかったんです。彼女が言うには……」

「いったいあんたはだれなんだ？　なぜ私に電話をかけてきた」

「ボーモンです。さっきもそう言いましたよ。僕は……」

「ボーモンなんていう知り合いはいない。そもそも……」

「だめです！　切る前に聞いてください。すぐには切らないでください」

ボーモンは突如、インドの短剣の存在を感じた。すぐそこにあって、尻に押しつけられていた。その武器の無意味さなり、それに関するなにか知らなかったことに気づいたボーモンは、それをベルトから抜き出した。短剣は床に、足許に落ちた。短剣は最後までそこにとどまることになるだろう。ボーモンはゆっくりと、やっとの思いで話し続けた。言葉は、口の中の冒された領域をかろうじて横断していった。今ではひと気の失せた、顔面の冷え切った領域を。

「もしもし？　ええ、こういうことなんです。説明します。昨日の夜、急にすごくこわくなったんです。そんなのはじめてのことでした。孤独、ということなんだと思う。そう、孤独です。この大きなアパートにひとりぼっちでした。耐えられるわけがない。しかも口の中にあるこいつに、この腫瘍に苦しめられてて。こんなこと、想像できますか？　せめて想像することだけでもできますか？　だからあの子に電話をかけたんです。さっきお話ししたあの女の子です。でも彼女は来たがらなかった。それで、酒のボトルを手に取って飲みはじめた。たった今まで飲み続けてました。僕は真っ黒です。完全に真っ黒です。でもそんなことどうでもいい。自分はもう終わってしまったってかんじがする。なにもかも終わってしまったって。自分にできることは、もうなにもないんです。ほんとです。それが真実です。ひどいことです……。これまでにも病気になった経験はありますよ、わかるでしょう。これまで生きてきて、病気に罹ったことはある。でもこんなのははじめてなんです。こんなこと、知りもしなかった。泥酔したことだってあります。でもこんなじゃなかった。こんなふうじゃなかったんです。歯が痛かったことだってあります。でもこれとは違った。わかりますか。わかりますよね。今日みたいなんじゃなかった。空っぽになった感覚とか静寂とか、とにかくこの見捨てられたかんじ。だから、電話を手に取って、てきとうな番号にかけたんです。これ以上、具体的になにをしたらいいのか、もうわからないんです。でも……」

「なるほど」と声が言った。その相手には、すべてが滑稽に聞こえていた。身の上相談欄、読者の手紙、そういうたぐいのものにある嘘くさい声の調子、ためらい、ほとんど文学的と言ってもいい言い回しだった。

「その……私にできることはなさそうですね。残念ですが。さようなら」

そして相手は電話を切った。ボーモンは、切られたことでは傷つかなかった。動揺することもなかった。ほとんど身じろぎ一つすることなく、別の番号を回した。88‐88‐88。電話線の何キロも先で、一枚の円盤が回転しはじめ、一つの文章を繰り返しはじめた。「おかけになった電話番号は、現在使用されておりません。おかけになった電話番号

は、現在使用されておりません。おかけになった電話番号は、現在使用されておりません。おかけになった電話番号は、現在使用されておりません。おかけになった電話番号は、現在使用されておりません。おかけになった電話番号は、現在使用されておりません。おかけになった電話番号は、現在使用されておりません。おかけになった電話番号は、現在使用されておりません。おかけになった電話番号は、現在使用されておりません。おかけになった電話番号は、現在使用されておりません。おかけになった電話番号は、現在使用されておりません。おかけになった電話番……」ボーモンは受話器を置いた。そして、新たな数字を加えた。８＋０＋１＋０＋３＋３＝

「もしもし？」

「もしもし！　お話ししてもいいですか？」

「はい、ええっと……どなたですか？」

もしかするとボーモンの勘違いかもしれない。だが、それはとてもさわやかでとても初初しい声だった。きわめて若い、おそらく十五歳の女の子の声だ。合成樹脂（ベークライト）のカバーをとおして、訛りのない、高音へと向かいがちな抑揚のある声が聞こえてきた。時折、閉鎖音を出す時、舌先を前歯に近づける歯音を出す時にはとりわけ、甘い「シュ」という音が低く混ざり込んだ。ボーモンは、その声が質問を繰り返すのを聞いた。すると静かな悲しみのようなものが顔面に広がり、それがゆっくりと苦痛の柱と混ざり合っていった。彼は息をついた。

「ボーモンと言います」と彼は言った。「あなたのことは知りません。あてずっぽうで電話をかけたんです。完全にあてずっぽうです。てきとうな番号を回したら、あなたが出たというわけです。自分のかけた番号を思い出すこともできません。でもそんなことはどうでもいい。どちらにせよ、間もなくすべておしまいになることだから、どうでもいいんです。僕の話を聞いてもらえますか？　最後まで聞こうという気持ちはありますか？」

「よくわからないんですけど、わたしは……」

「いやなら、それでもいいんです。受話器を置いてください。あなたのほうから先に受話器を置くだけでいい。そうしたら僕は別の番号にかけます」

「聞きたいです。でも、どうしてこんなことしてるんですか？」

「どうして僕があてずっぽうの番号に電話をかけてるのか、ということですか？」

「はい」

「厳密な説明はできません。僕には無理なんです。なぜなら、自分でもよくわかっていないからです。つまり、いや、わかっていることもある……僕はひとりぼっち、僕は痛い、僕はこわい。わかりますか。僕は完全にひとりぼっちなんです。完全にひとりぼっち、というかんじがするんです。そして僕はこわい」

「それで、あなたは……」

「そう、そういうことです。こんなふうに話すと馬鹿みたいですよね。でも、もう無理なんです。馬鹿にされるのをこわがってるだけなんて、もう無理なんです。どちらにせよ、あなたは僕のことを知らない。僕に会ったこともないし、あとほんのしばらくして話し終わったらすぐに忘れ去るでしょう。わかりますか？　どう言えばいいのかわからないけど、僕は痛いんです。ほんとうにものすごく痛いんです。しゃべるのもやっとなんです。はじまったのは昨日の晩でした。いや、夜中です。明け方の四時くらいことです。歯が痛くて目が覚めると、どんどんひどくなっていった。もう自分がどこにいるのかもわかりません。僕は……知り合いの女の子に電話をかけてみました。会いに来てもらいたかったんです。耐えられなくなったからです。ひとりぼっちで歯の痛みと向き合うなんて無理でした。でもその子は……でもその子は来たくなかった。来られないと言ったんです。朝四時だからとかなんとかいう理由で。それでどうしたらいいのかわからなくなった。でも痛みはすさまじかった。プラムブランデーを一本空けたんですが、なんの効果もなかった。そうやって夜を過ごしたんです。ベッドに座ってなんにもしないまま。せめてあの子が来られたら。せめて、来たいと思ってくれていたら。必要だったんです。わかりますか。ほんとうに必要だったんです。生まれてはじめてのことだったんです、ええ、ほんとうです。あの子にそばにいてもらわなきゃいけないなんて、生まれてはじめてのことだった。今では違います。もうだれのことも必要としてません。わかりますか。今では、行こうと思えば歯医者のところに行ける。治療を受けられる。レントゲン写真を撮ったら、こんなことを言われるでしょう。『親不知の根に膿瘍があります。あるいは、神経を抜いた臼歯の根かも。まあそんなところです。膿瘍。膿瘍があるだけ。あなた、神経質すぎますよ。女の人よりもひどいな』。でも歯医者になんかぜったいわからないんだ。夜のあいだ、この部屋でどんなことが起こっていたのか、ぜったいに知ることはないんです。僕がそう話しても医者は信じないでしょう。話を聞いて医者は笑い出すんです。『膿瘍ですよ、あんた。ただの膿瘍。歯を抜きましょう。注射を打たなきゃ。注射、がまんできるでしょう？』わかりますか？　真実です。真実とはおそろしいものだ。真実からはじめたら、もう立ち止まれない。何時間でも、なんにもしないでベッドの端に腰をかけたままじっとしてることになるんです。だからです。だからあなたに話してるんです。最初のうちはそれでも、この空っぽな感覚を抱えていても、どうにかなると思ってました。この機械を、この機械のようなものを止められると思ったんです。しゃべったり、動いたり、シュナップスを飲んだり、あるいは電話をかけるとかその手のことをすることでね。でももういいんです。わかったんだ。

人間には、ぜったいにそれ以上先に行ってはいけないという状態があって、僕はそれを越えてしまった。もうあと戻りはできない。今では、僕は痛みを必要としてる。僕はもう、痛みがなければ存在しない。痛みを愛してるんです。人間には、知ってはならないことがある。でも僕は今、それを知ってしまった。今晩のことです。わかるでしょう……」

「でもどうして、どうしてそんなこと言うんですか？」

その声はためらった。組み立てながら同時に破壊しているような気配があった。そして、こう続けた。

「どうして？ どうしてわたしにその話をするんですか？ これからどうするんですか？」

感情をいっさい交えることなく、ボーモンは答えた。一つの節を口にするごとに、完璧なタイミングで呼吸をしていた。

「まだわかりません。正直なところ、なにもわかりません。さきほどお話ししたように、今や異なった状態にあるからです。僕はもう、だれも必要としていない。今、僕はひとりぼっちです。ほんとうにひとり、完全に孤独です。痛みは、もちろんまだあります。でも、もうわからない。痛みは、少しはましになったのかもしれない。ずっと同じなのかもしれない。でもそんなことはもう忘れました。ほとんど忘れてしまった。今では、一種の平和が手に入ったんです。わかるでしょう。小さくて悲しくて静かな平穏です。ほんとうに苦しむためには、だれかを愛さねばならない。でも僕はもう、この世にひとりも知り合いがいない。すべてがありきたりなものに、どうでもいいものになったんです。僕は孤独です。そして同時に、すでにあらゆるところに存在しています。そう、あらゆるところにです。人がいて、太陽が出ていて、人が行き来してるところなら、どこにでも。偉業と苦しみ。僕は、この地上で起こるすべてのことなんです。すべての恐怖と、すべての喜び。人々がこの世界で話すすべてのこと、人々がこの世界で望むすべてのこと。すべて。ほんとうにそうなんです。なぜなら僕は空っぽだからです。空、まったくの空です。なにもかもが僕の中に入ってくる。わかりますね。テープレコーダーのようなものです。まったくもってそうなんです。それか、電話の受話器のようなものです。人の声が僕の中を通り、何キロも何キロも先まで伝わっていく。わかりますか？　他人の声が僕の中を通り、その間、僕は常に冷たく静かでい続けるのです。僕はもうなにもわからなくなる。僕はもうなにも話さなくなる。一枚の白紙、ものすごく白い紙です。あなたにそいつを残していきましょう。なんでも好きなことを書いたらいい。たとえば僕の名前のボーモン、ボーモンです。それか、庭でもいい。そこには砂利があって、草が生えている。そして僕はその中に埋葬される。上には小さな大理石板と花輪と蘭の造花がある。それか、一枚の窓。わかるでしょう。

そこから見える景色はあなたが好きに選んだらいい。雪景色、ごみ収集人たちが通り過ぎる灰色の通り。太陽、雨、ミストラル*、映画館から出てくる人たち、宵の口、それから走り去るバス。聞いてますか？」

「あなたはボーモンというんですね？」と少女が言った。

「僕の名は、ボーモンでした、ええ」とボーモンはおだやかに応えた。

「ではボーモンさん、わたし……わたし、あなたのことを考えるようにします」

「僕が死ぬ時には」とボーモンは言う。

「そうです。あなたが死ぬ時には」と彼女は言った。

それ以外にすることもなく、あるいは話すこともなく、しかも今や完全に朝が来ていたので、ボーモンは受話器を置いた。それから自分の部屋に戻る。シーツが散乱していて、毛布は煙草の灰の汚点(しみ)だらけで、ブランデーの薬品めいた匂いが漂っていた。テーブルのまわりを何分間か歩いた。両足は疲れて重く腫れ上がり、両目は焼けるようだった。やがてついに、もう一度椅子に座った。四時間か五時間前、痛みがはじまった頃にしたのとお

＊フランスの地中海沿岸地方に吹く、冷たく乾燥した北風。

なじように。朝は実在していた。発車するオートバイの音、クラクション、男の叫び声、白みがかってくすんだ光、閉じた窓から浸み込んでくる煙の臭いを伴いながら。まるで一着の屍衣、そう、屍衣の一種だ。一枚の名刺には、こう記されていた。

ピエール＝ポール・ブラッコ
水曜日の同じ時刻で了解
追伸　シネクラブ、明日の夜二十一時
『スワンプ・ウォーター』ジャン・ルノワール

ボーモンはその上に小さな渦巻きを描き、それから言葉を殴り書きにした。

こういういろんなことを
知った僕は満足している
今ではそのいろんなことを
愛している
ではまた

ボーモン

そして彼は、自分の歯茎の中に閉じこもった。

心臓の鼓動は彼方で、胸の奥底で鳴っていて、ボーモンをリズムに乗せて動脈の中を運び去った。その身体の最も奥深くから打ち出される無音の一撃が、ねっとりとした血液の大波を衝き動かし、それによってボーモンは自分自身の中へと押し戻されていった。その向かう先は、未知のある一点だった。顎の端にあるきわめて小さなその一点に、生命の兆しのほとんどすべてが集約されていた。ボーモンは極小になっていった。まるで、裏返せば裏返すほど小さくなっていく手袋のように。エナメル質の表面に開いた穴を通って、両足の先と両手が歯の中に収まり、奥へ奥へと吸引ゴムで吸い込まれるようにして浸み込んでいった。それから両方の脚が、両腕が、胴体が、次々と消えていった。肩と首筋がゆっくりと、しかも整然とそのあとに続く。両目が融け、両耳が平らになり、消しゴムをかけられたように無に帰する。髪の毛はぼさぼさになり、額と鼻と口と分厚い唇、頬骨、筋状の髭が生えた頬、そして顔全体が消滅した。不格好な蛇の一種が、肉体と骨を消化していった。体長六メートルのほんものの大蛇（ボア）、生きた腸、顎の中で生きていた腸だ。顔面は、すでにかたちの崩れた茹で肉でしかなかった。ぐずぐすと崩れながら下のほうへと、開口部へと流れていった。洗面台の排水口に呑み込まれていく、洗剤の混ざった水のように。

自分の歯の中、ふかふかと柔らかく、眠気と痛みでいっぱいの中心部に落ち着くと、ボーモンは不幸のただ中から救い出されたような気がした。遠くでたゆたう彼は、象牙質の小さな檻の虜（とりこ）で、苦しみの中で苦しむことを熱望していたのだ。それは、この世に生まれ落ちた日に失われた調和だった。突如として、欲望もなければ心配ごともないことがわかったのだ。まるで、人と獣の裁きにおいて有罪を宣告されたかのようだった。ある種の冬、白くて悲しげだが、すべてが果てしなく、優美で荘厳な冬だ。澄んだ歌声はもう耳の中に宿っていなかった。すでに耳はなく、彼自身が歌だった。ボーモンは自分の新しい身体が誇らしかった。歯の内部と一体化した身体だ。その身体をあらゆる方向に動かして楽しんだ。自分にはこんなことも出来る。その事実を発見するという、たったひとつの喜びのためだけに。喜歌劇（オペラ・コミック）から黒人霊歌まで、とどまることなく、かけ離れたさまざまなジャンルの中に飛び込んでいった。ボーモンはミュート付きトランペットだった。クラリネット、アルトサックス、あるいは爪の割れる乾いた音だった。アルビノーニ*のように壮大で機械的な音、あるいはむしろシェリー・マン**のように乾いて引き締まった音。ありとあらゆる平らな表面で激しく地団駄を踏む銅鑼の音、パイプの音、もしくは鼾（いびき）、腹がごろごろ鳴る音、しゃっくり。たったひとつの鋭く甲高い音、それは夜闇の中で孤独に鳴くバッタと同じ種類の音だった。コントラバスのやわらかいと同時に硬いリズム、重複音で静寂を切り裂くチャールズ・ミンガス***の音が、止まることなく積み重なり、動きまわりながら音階を組み上げていった。流れは一度堰き止められ、ワルツの三拍子がはじまった。それから下降していく音符の連なりが、二本の弦の上に雨のように降りそそぎ、そこに息吹が、拡張する肺の息づかいが加わり、融合して一つになるまで、結合してイ音になるまで音は続く。陰気で厳しい、きわめて厳しく苦痛に充ちた音が鳴り響き、対になったいくつもの轟きが一挙に干上がった。その瞬間、奇妙な鳴き声がしたが、それもまるでにわか雨のようにたちまち消滅した。そうした叫びと喧噪はボーモン自身が選択したものにほかならなかったが、それらはある種の不可解な幸福の中にあった。それは、なにか果てしないと同時に絶望的なもの、ボーモンには、いやいやながらにしか制御できないものだった。

＊「アルビノーニのアダージョ」でよく知られる、イタリアのバロック音楽の作曲家。十七世紀半ばから十八世紀半ばを生きた。
＊＊アメリカのジャズ・ドラマー。一九八四年没。
＊＊＊アメリカのジャズ・ベーシスト。一九七九年没。

ボーモンは自分の歯の中に座っていた。すっかりあたたかく、すっかり苦痛に包まれたまま両脚を歯根の小穴にはめ込んでいる彼は、もう一つの衝動にも駆り立てられていた。たとえば太陽の思い出がかきたてるもの。あるいは、時間に急きたてられるという感覚の記憶。ボーモンの歌はさまざまなかたちに変化し、ある独特な生き物を想起させるが、その中心部には一匹の死ねない百足(ムカデ)がいた。彼はその百足とともに、ざわめきと光の世界を抱えたまま放さなかった。雑音と埃の世界を、吹きさらしの街路を、寒さを、下水から漏れる水を。そしてレインコートにぎゅっと身を包んで事務所へと向かう、朝の最初の男たちの一群を。

ボーモンは椅子とベッドと灰皿と自分の部屋をあとにし、屋根の上に出た。最上階の踊り場にある、マンサード屋根*の窓を使ったのだ。そして彼は少しのあいだ歩いた。雨樋に沿って進み、日の出の陽光に打たれている一帯にたどり着いた。八時か八時半くらいだろう。風が吹き、かなり寒かった。真正面から吹き付け、レインコートと縞模様のパジャマを身体に張り付かせた。ボーモンは、足下の通りと向かいの家を見た。ほとんどの鎧戸が、今も閉まったままだった。歩道の上、薬局のそばには少女がひとりいて、こちらを見上げた。ボーモンは屋根の斜面にしがみついて身を隠した。それから、疲労のせいもあってそこにしゃがみ込むと、落下しないように屋根瓦の溝に右手でつかまった。そうして彼は、長いあいだそのままじっとしていた。太陽を浴びながら、鳥の糞に塗(まみ)れた屋根に座って。

＊腰折れ屋根。途中で勾配が変化する切妻屋根。

不安がどんどん高まってイライラしたときに！

［大正文学］

病褥(びょうじょく)の幻想

谷崎潤一郎

〝始終枕に耳をつけて、
地鳴りに気を付けていらっしゃいましよ。
若(も)し、遠くの方からゴウゴウと云う音が聞えたら、
其の時こそいち早くお逃げなさいまし。
そうすればあなた、大概無事に助かりますよ。〟

今度は、同じ「歯痛」というテーマで、日本の文豪の作品です。谷崎潤一郎もノーベル文学賞の候補になっていました。フランスと日本の作家でどう描き方がちがうのか、読み比べてみるのも面白いかもしれません。
　こちらは、歯痛がきっかけで、地震にまでつながっていきます。痛みがあると、どうしたって不安になります。不安はさらに妄想を呼び、神経が過敏になり、身体は寝こんでいても、心は暴走します。

谷崎潤一郎

（たにざき・じゅんいちろう）

1886－1965　小説家。東京・日本橋生まれ。東京帝大国文科中退。在学中より創作を始め、同人誌「新思潮」（第二次）創刊。『刺青』などを発表し永井荷風に激賞される。耽美派、悪魔主義の作家と評される。関東大震災を機に関西へ移住。『源氏物語』を３度、現代語訳する。戦中、軍部の圧力により連載中止となった『細雪』を密かに書き続ける。『鍵』『瘋癲老人日記』など晩年まで名作を生み出した。ノーベル文学賞の最終候補者にもなっていた。

彼は病気で、床に就いて呻って寝て居た。——たださえ彼は意気地なしの、堪え性のない涙脆い人間なのだ。十年前に取り憑かれた神経衰弱が、未だに少しも治癒しないで、年が年中、蜘蛛の巣のような些細な事に怯え憂え顫えて居る人間なのだ。それが運悪く此の四日ばかり、歯を煩ってすっかり元気を銷亡させて、事に依ったら死にはしないかと案ぜられた。

直接歯の為めに死なない迄も、歯齦の炎症から来る残虐な悪辣な、抉られるような苦痛の為めに、精神と云う物が滅茶滅茶に掻き壊されて、気が狂って死ぬかも知れなかった。彼は自分の肉体が人並外れて肥満して居て、心臓の力の弱って居る事を、不断から非常に気に懸けて居た。それで僅かな熱でも出ると、神経を病み始めて、先ず自分から大病人になってしまった。

「歯齦膜炎でそんなに熱の出る筈はないと思います。何度ぐらいおありになるか測って御覧になりましたか。」

と、歯医者は不審そうに云った。

「いや、測っては見ませんけれどたしかに少しあるんです。御存知の通り僕は太って居るもんですから、熱には馬鹿に弱くって、……」

「あったところが多分六分か七分です。測って御覧になる方が却って御安心ですよ。」こう云われても彼は決して、測って見ようとはしなかった。測って見て、若しも八度か八度以上もあったら大変だと思った。そうして実際、そのくらい熱があるかも知れなかった。何でも下顎の、右の一番奥の齲歯がぼろぼろに腐蝕して、歯齦の周囲に絶え間なくだくだくと毒血を湛えて、膿み疼き燃え爛れて、その為めに顔の半面が、始終かっかっと火照り付いて居るのであった。最初はたしかに其の齲歯が痛むのだと分って居たが、遂には片側残らずの歯が、上顎のも下顎のも、一本一本細かく厳しくきりきりと軋んで、どれが痛みの親玉なのか一向に分らなくなってしまった。その痛さに朝から晩迄さいなまれつつ、じっと辛抱して居る事が、人間として堪え得る苦しみの最上の物であるらしかった。此処まで来れば、どんなに精神のしっかりした脳髄の透明な人間でも、多少は頭の機能が乱れて、馬鹿か気違いに近いような、朦朧とした滅茶滅茶な状態になりかかるだろうと彼は思った。現に彼は、余りの痛さに神経が妙になって、痛いのだか痛くないのだか分らない感じがして来た。彼は熱に浮かされて、もやもやと霧の中に囲まれたような夢心地に犯されながら、いろいろの事を考え始めた。

「人間が痛みと云うものをハッキリと感じ得る場合は、それ程痛みが深刻でない時なのだ。痛みが一層昂進(こうしん)して来ると、もう一と通りの痛みと云う物とは全く違った、一種異様な感覚を生ずる。」――――彼はそう考えながら、今の自分の苦痛を味わって居た。四五日前迄(まで)は、例の齲歯の心(しん)の方が、明(あきら)かに錐(きり)のような物で無慈悲にぐいぐいと突(つ)かれるのに似た痛さであったが、だんだん口の中で「痛み」の領土が拡大し出して、今迄安穏(あんのん)に平和を楽しんで居た隣の臼歯(きゅうし)に響き始め、それから上顎の犬歯(けんし)がいつの間にやら共鳴を試み、最後に片側の全部の歯の列が一面にヴァイブレエションを起して、ちょうどピアノの鍵盤(けんばん)の上を乱暴な手が掻(か)き廻(まわ)した如(ごと)く、孰(ど)れも此(こ)れも悉(ことごと)くぴんぴんぼんぼんと騒々しく相応(あいおう)じた。そうして、非常に雑多な沢山の音響が一度に室内に充満すると、一つ一つの声と云う物はまるきり聞えなくなって、極度の騒々しさが極度の静かさと一致してしまうように、極度の苦痛も亦(また)極度の安楽と一致するかの如(ごと)くであった。

たとえて見れば、上下の顎骨(がっこつ)の歯の根から無数の擾音(じょうおん)が喧々囂々(けんけんごうごう)と群(むら)がり生じ、一つの大きな、綜合(そうごう)された呻りを発して、Quă-ăn! Quă-a-ă-aăn! と云うように、口腔(こうこう)内の穹窿(きゅうりゅう)へ反響し続けて居るのであった。それはちょうど、恐ろしく野蛮(やばん)な力でガンと頬桁(ほおげた)を擲(なぐ)られた跡などに、長く長く残って居る痺(しび)れた感覚に似通(にかよ)って居た。そうして一々の歯の痛み工合(ぐあい)を、よく注意して感じて見ると、痛むと云うよりは、Biri biri-ri-ri! と震動(しんどう)して居るように想われた。

「そうだ、痛みが極度に達すると、寧(むし)ろ音響に近くなるのだ。恰(あたか)も空中で音波の生ずるように、歯齦(はぐき)の知覚神経が一種のヴァイブレエションを起すのだ。」と、彼は腹の中で呟(つぶや)いた。

その凄(すさま)じいヴァイブレエションの為めに、口の中の空洞(くうどう)が全く馬鹿になって、神経も何も聾(つんぼ)にさせられて、今では其れ程(ほど)に痛くもなくなって居る。「なんだ、己(おれ)は先(さっき)まで大変苦しがって居たが、落ち着いて考えると、苦しくも何ともないじゃないか。」と、云いたいような心地もする。平生(へいぜい)非常に死を怖れて居る人間が、いよいよ病気で死ぬ時に臨(のぞ)むと、案外安心してしまうように、神経と云うものも余り強烈な刺戟(しげき)を受けると、相当な「あきらめ」を生じて都合よく外界に順応し、苦痛を苦痛と感じさせない調節作用を行うのであろう。――少くとも彼は、今や自分の神経が自分の意志の欲するままに、鈍(にぶ)くも鋭(するど)くも自由に変化する事を発見した。「痛くないぞ! 痛くも何ともないぞ!」斯(こ)う命令すると即座(そくざ)に神経はピタリと働きを止(と)めて、あれ程の痛みがまるきり感じなくなってしまう。反対に又、口の中の任意の点へ神経を凝集(ぎょうしゅう)すると、直(す)ぐに其の部分が痛み出す。彼は己(おの)れの注文通りに、どれでも好きな歯を撰(えら)んで、一本一本随意(ずいい)に随時(ずいじ)に痛み出させる事が出来た。

彼は図に乗って、子供がピアノを徒(いたずら)するように、神経の手を彼方此方(あっちこっち)の歯列(しれつ)の上へ駆使(くし)

しながら、いろいろの方面を痛ませて見た。或る特別の一本だけを痛ませる事も出来るし、二本でも三本でも一緒に一度にBiri! biri-ri! と痛ませる事も出来た。

「こうなると実際ピアノと同じ事だ。一々の歯が、恰もピアノの鍵のように思われるから不思議じゃないか。」――何だか彼は、各々の歯の痛み方の程度に応じて、音階を想像する事さえ出来そうであった。一番前の方の、一番痛みの少い奴を仮りにDoとすれば、其の次ぎに稍痛い奴をReとする、其れよりも亦稍痛いのをMiとする、斯くて立派に七つの音階が出来上ると、今度は「汽笛一声」でも「春爛漫」でも「さのさ」節でも喇叭節でも、好きな歌を奏する事が出来そうな気持ちになった。

「うんそうだ、たしかに音階を想像し得る。――其れにつけても己は余っぽど熱があるに違いない。――熱に浮かされてぼんやりして居るから、こんな奇妙な考が起るのだ。」

――同時に彼は、又一としきり耳ががんがんと鳴って、体中の血が頭の方へ鬱陶しく上騰して来るのを覚えた。彼は眼を潰って、局部に氷嚢をあてたまま、深い暗い所へ昏々と墜ちて行くような心地がした。折々大波に揺り上げられ、揺り下されて居るようでもあった。しかし未に失心しては居ないと見えて、間もなく再びさまざまの妄念が、脳髄の中で蛆の沸くが如くうようよと蠢き出した。

彼の横臥して居る病室の外には、割合に広い庭園があって、九月の上旬の、初秋とは云いながら真夏と少しも変りのない、赫灼とした日光が毎日毎日蒸し蒸しといきれて居た。南に面した花壇には紫苑や芙蓉や、紅白の萩がそろそろ花を持ちかけて、繁茂した枝葉を茫茫と蔓らせ、穂の出かかった糸すすきや萎みかかった桔梗や女郎花が、おどろに乱れた髪の毛のように打ち煙って居た。百日草、おいらん草、カンナ、蝦夷菊などの燦然と咲き誇って居る今一つの花壇の縁には、小さい愛らしい松葉牡丹の花びらが、びろうど色の千日坊主と頭を揃えて、千代紙を刻んだように綺麗に居並び、二三尺の高さに伸びた葉鶏頭とダリヤとの間から、真赤な、心臓のような紅蜀葵の大輪が、烈日の中にくるくると燃えて居た。

「あなた、………又紅蜀葵が一つ散ったわ。あの花はほんとに寿命が短いのね。一日咲くと、色もなんにも褪めないのに、ぽたりと地面へ落ちてしまうのね。」

彼の妻が、氷嚢の氷を取り換えてやりながら、彼に云った。

「うん、………」

と、さも大儀らしく答えたきり、彼は庭の方を見向きもしないで、相変らず歯を押えたまま静かに悲しげに横臥して居た。けれども彼の生々しい、真赤な花が、綺麗に咲き綻びたまま、風もないのに突然地面へ転げ落ちる様子を想うと、何だか其れが忌まわしい事の知らせのように感ぜられた。今の今まで、盛んに血を吸って膨れて居る自分の心臓が、若しかするとあんな風に、いきなりぼたりと崩壊する前兆ではあるまいか。………

「でもまあ向日葵がよく咲いたこと。ちょいとあなた、ちょいと此方を向いて庭を御覧なさいよ。」

妻は再びこう云って慰めようとしたけれど、今度は彼は見向きもしないで、ただ苦しそうな溜息を吐いた。自分がこんなに呻って居るのに、呑気な事をしゃべって居る妻の態度が甚しく癪に触ったが、わざわざ其れを叱り付けるだけの元気も出なかった。痛くない方の片側を枕につけて、唇を半分ばかりあーんと開いて、床の間の掛軸を視詰めた儘倒れて居る彼は、此の時舌の先を徐ろに、韶陽魚のように動かしながら、例の一番奥の齲歯を極めておずおずと撫で擦って見た。気のせいか知らぬが、うろが平生よりも素敵に大きく深くなって、噴火山の火口の如く傲然と蟠踞して居る。その洞穴の底津磐根から不断の悪気が漠々と舞い上って、口腔の天地を焦熱地獄と化して居るのである。……彼には其の齲歯の、暴君的な堂々たる痛み工合が、恰も毒々しい向日葵の花のように想像された。周囲に橙色の絢爛な花弁を付けて、まん中に真黒な、蜻蛉の複眼の如き蕊を持って居る向日葵の、瑰麗な姿は、どうも此の驕慢な齲歯の痛みに酷似して居た。

「そうだ。歯の痛みは音響に近いばかりでなく、それぞれ雑多な色彩を持って居る。」

――彼はそんな事を思った。ふと、いつぞや読んだ事のあるボオドレエルの"Les Paradis

Artificiels"の一節が彼の念頭に浮かんだ。………"Les équivoques les plus singulières, les transpositions d'idée les plus inexplicables ont lieu. *Les sons ont une couleur, les couleurs ont une musique.*"（音響は色彩を発し、色彩は音楽となる。）………此れは此の詩人がハシイシュを飲んだ時の、ハリュシネエションの描写であるが、しかし阿片やハシイシュの力を借りずとも、彼は幾分かそう云う風なハリュシネエションを感ずる事が出来た。少くとも一々の歯が、痛み方に相当する音階を持って居るとしたなら、其の音階が一変して、千紫万紅、大小さまざまな花の形に見える事はたしかである。一番根強く執念深く、まるで熟した腫物のように疼いて居る奥歯が、向日葵の花であるとしたなら、それと反対に狭く鋭く、ぴくりぴくりと軋んで居る上顎の犬歯は、ちょうど血の塊か火の塊が、眼の暈むような速力で虚空に旋転と舞い狂めいて居るような、真赤な、辛辣な痛さである。「成る程此れは真赤な痛さだ。何か非常に赤い物が、焔々と燃えて渦巻いて居る痛さだ。」――彼は直ちに紅蜀葵を連想せずには居られなかった。そうして考えれば考える程、ますます其の歯と紅蜀葵との関係が密接になって、遂には全く口の中に、あの鮮明な赤い花が、くっきりと咲き誇って居るような気持ちがした。それから又、顎の隅の方で微かに痛んで居る一団の臼歯は、一本の茎の先に沢山の花を持ったおいらん草のクリムソンに似通って居た。チクチクと虫の螫すような、愛らしい、いじらしい痛み方をする前歯の群は、恰も花壇の縁を彩る松葉牡丹に適合して居た。不思議な事には、其れ等の歯が、各自固有の特色に依って、激しく痛めば痛む程、彼の妄想は一層明瞭な形を取って眼前に髣髴した。斯くして彼は忽ちのうちに、口の中を庭の花壇と同じような美しい光景に化してしまった。其処には初秋の午後の光がかんかんと照って、蜂や蝶々が花から花へひらひらと飛び戯れて居る。……

気が付いて見ると、熱は前よりも更に一段と高まって居た。眼の先の物が何だか頻りにちらちらと動いて、カレイドスコオプを覗いて居るようだ。床の間に懸って居る浮世絵の美人画がぐらぐらと揺めいて、立体派の線の如きbizarreな線を現わして居る。座敷の天井が、いつの間にやら馬鹿に低くなって、立てば頭がつかえる程下って来たらしく、嫌に室内が狭苦しく、蒸し暑く、窮屈である。こんな牢獄のような処に、いつ迄自分は鬱々として、熱に浮かされて居る事だろう。どうせ十日も半月も寝て居るのなら、いっそひろびろとした野原のまん中で、青空を仰ぎながら、涼しい木蔭の草の上にでも倒れて居たい。

「ああ切ない、……息苦しい、……嫌になっちまうなあ。」

彼は夢中で、こんな譫言を云いそうになった。そうして、名状し難い遣る瀬なさとあじきなさに襲われて、頬っぺたの垢に汚れた涙を、紙屑のようにぼろぼろとこぼした。

よんどころなく片手でそっと睫毛を拭いて、又歯の事を考える。口の中の呪わしい地獄、美しい花壇の事を考える。——

"A noir, E blanc, I rouge, U vert, O bleu, voyelles, …………"

どう云う訳か、Rimbaud のソンネットの一句が、天際に漂う虹の如く彼の心に浮かんだ。恐らく其れは、繚乱たる花園の光景から連想されて、記憶の世界に蘇生って来たのであろう。若し、あの仏蘭西のシンボリストが想像するように、A、E、I、U、Oの母音に、黒だの白だの赤だのの色があるとすれば、口の中で刻一刻に、ずきん、ずきん、と合奏して居る歯列の音楽、——色彩の音楽は、悉くアルファベットに変じ得るかも知れない。

………A, B, C, D, E, F, G,………

体の工合も心の調子も、もう本式の病人と違いはなかった。ちょいと枕から頭を擡げると、忽ち眩暈を覚えて、うすら寒い戦慄が止めどもなくぶるぶると手足を走る。飯を食うにも、小用を足すにも、凡べて褥中に横わった儘である。

「九月になったのに何て云う暑さだろう。此れじゃ土用の内よりも余っぽど非道いわ。事に依ると地震でも揺るのじゃないかしら。」

隣の部屋で、妻が女中にこんな話をして居る。

ほんとうだ、地震が揺るかも知れない。——彼は地震が大嫌いであった。地震に就いては随分いろいろの書物を読んで、可なり豊富な知識を持って居た。六十年目に大地震があると云う説の虚妄な事や、日本の家屋はヤワな西洋館に較べて、案外耐震力の強靭な事や、大地震の際には必ず前に異常な地鳴りを伴う事や、少くとも彼のように、年中気に病んでびくついて居る理由のない事を、充分心得て居る癖に、彼はやっぱり明け暮れ其れが心配になった。住宅を移転する時、田舎の旅館に宿を取る時、女郎屋待合で夜を過ごす時、彼が真っ先に思い出すのは地震に対する用意であった。怪しげな西洋造りの三階四階の建物などへは、成る可く這入らないように努めて、這入ってもそこそこに飛び出してしまった。浅草辺の活動写真を見物するのに、彼は大概出口に近い隅の方に立ち竦んで、いざと云ったら逃げ出す用意を怠らなかった。そうして無事に見物が済んで、小屋を出て来ると、「まあよかった。」と胸を撫でて、命拾いをしたような気持ちになった。

自分が生きて居るうちに、どうしても一回、大地震があると彼は思った。日本に居て、殊に地震の多い東京に住んで居て、相当に長生きをする積りなら、否でも応でも、一度は大地震に際会して、九死に一生を得なければならない。其れが彼には病気よりも何よりも、一番危っかしい、剣難至極な綱渡りであった。なぜと云うのに、人間が不治の難病に罹る事は頗る稀であるけれど、大地震はたしかに一遍はあるのである。そうして其の一遍の大災厄を、首尾よく免れ得るかどうかが、彼に取っては非常な疑問である。――尤も彼は、今から二十三四年前、多分明治二十六年の七月に、大地震と云ってもいいくらいの素晴らしい奴に出会した覚えがあった。ちょうど彼が小学校の二年の折であったろう。午後の二時時分、学校から帰って、台所で氷水を飲んで居ると、いきなり大地が凄じく揺れ始めた。「大地震だ！」と、彼は咄嗟に心付いたが、何処をどう潜り抜けたのか、一目散に戸外へ駆け出して、大道の四つ角のまん中につくばって居た。その頃彼の家では日本橋の蠣殻町に仲買店を出して居て、恰も後場の立って居る最中であった。米屋町の両側に軒を列べた商店の、土間に溢れるほど雑沓して居た相場師の群衆は、誰も彼も金の取引に気を奪われて、日盛りの苦熱を忘れて居たが、突然、がらがらがらと家鳴震動し出すや否や、右往左往にあわてふためき、殆んど路次のように窮屈な、せせこましい往来の、ぎっしり詰まった家並の下を揉みに揉んで逃げ惑うた。………

「ああ、己はあの時でさえ、あんなに恐ろしかったのだから、若しあれよりも更に大きい地震に逢ったらどうするのだろう。己は今では肉がぶくぶく肥満して、心臓が弱くなって、とても子供の時分のように身軽に逃げる事は出来ない。おまけに現在病褥に倒れて、体が利かなくなって居る際、そんな災難が突発したら、己の運命はどうなるだろう。」

彼の頭はいつか全く、地震に対する危惧と不安とに充たされて居た。今と云う今、大地震が揺り出したら、自分は必ず逃げ損って、梁の下に圧し潰されるに違いない。それでなくても立てば足元がよろよろして、眼が眩みそうになるのだから、地震と聞いたら即坐に逆上して卒倒してしまうだろう。考えて見ると、いつ何時地震が揺るかも知れないのに、不自由な手足を持って寝て居ると云うのは実に危険だ。まるで噴火山上に身を托して居るようなものだ。ああ、ほんとうにどうしたらいいだろう。――彼の記憶は、再び明治二十六年の、七月の或る日の地震の光景に戻って行った。あの時彼は、前に云った大道の四つ角に蹲踞って、生きた空もなくわななきながら、世にも珍らしい天変地異をただ夢の如く眺めて居た。夢だ！　ほんとうに夢のような恐ろしさだ！　其の後二十幾年も彼は此の世に生きて居るが、あの時のように薄気味の悪い、あの時のように物凄い、あらゆる形容詞を超絶したOverwhelmingな光景を、爾来一遍も見た事がない。彼が避難した地点と云うのは、今の蠣殻町の東華小学校の門前に近い、一丁目と二丁目との境界にある大通りで、今でもあの四つ角には交番が建って居る筈だ。何でも彼の経験に依ると、大地震と云う物は地が震えるのではなく、大洋の波のように緩慢に大規模に、揺り上げ揺り下ろすのであった。自分の足を着けて居る地の表面が、汽船の底と全く同一な上下運動をやり出した時を想像すれば、恐らく読者は其の気味悪さの幾分かを、了解する事が出来るであろう。……いや、汽船の底と云ったのでは、まだ形容が足りないかも知れない。寧ろ軽気球のように、――踏んでも掘ってもびくともしない、世の中の凡べての物よりも頑丈な分厚な地面が、寧ろ軽気球のように、さも軽そうにふらふらと浮動するのである。そうして、其の上に載っかって居る繁華な街路、碁盤の目の如く人家の櫛比した、四通八達の大通りや新路や路次や横丁が、中に住んで居る無数の人間諸共に、忽ち高々と上空へ吊り上げられ、やがて悠々と低く降り始める。彼は比較的見通しの利く四つ辻に居た為めに、此の奇妙なる現象を真にまざまざと目撃した。彼の前方へ一直線に走って居る、坦々たる街路の突きあたりには、遠く人形町通りが見えて居たが、其の路の長さは大凡そ二三町もあったであろう。然るに訝しむべし、此の二三町の平な路が、彼の蹲踞って居る位置を基点として、恰も起重機の腕の如く棒立ちになり、向うの端の人形町通りを、天へ向って持ち上げるかと思う間もなく、今度は反対に深く深く沈下し出して、彼は全く急峻な阪の頂辺から、遥か下方の谷底に人形町通りを俯瞰する。ああ其の時の強さ恐ろしさ！　人間が、測り知られぬ過去の時代から生存の土台と頼み、光栄ある歴史を其の上に築き、多望なる未来を其の上に繋いで、安心して活動して居た大地と云う物が、斯く迄も不安定に、斯く迄も脆弱であろうとは……彼は漸く七つか八つの少年であったから、恐怖の余りに或はこんな幻覚を起したのかも知れないが、しかし決して、自分の眼で見た光景を、誇張して述べて居るのではない。思うに彼は其の刹那から、今のような臆病な人間になったのであろう。其の瞬間に、人間の生命のいつ何時威嚇されるかも知れない事を、つくづくと胆に銘じたのであろう。

「あああッ」

と云って、彼は頬にあてて居た氷嚢を外しながら、俯向きになって顔を枕の上に伏せた。急に、当時の四つ辻の光景が眼前に浮かび上ると、胸の動悸が激しくなり、体中が総毛立って、とてもジットしては居られなくなったのである。

「あなた、氷を取り換えるんですか。」

妻の声が聞えたので、「はっ」と気が付いて、彼は漸く我に復った。――今見たのは夢であったか知らん。今まで地震の事を想像したり、懸念したりして居たのは、夢であったのか知らん。それとも覚めて居ながら、あんな考えが頭の中に往来して居たのか知らん。彼には其れが孰れであるか分らなかった。ただ、悪夢を見た後と同じように、びっしょりと額に汗を掻いて居た。

「ほんとに蒸し暑い、嫌な陽気だねえ。こんな日にはきっと地震が揺るかも知れない。――今年あたりはそろそろ大地震がありゃしないかね。安政の地震があってから、もう随分になるのだから。」

又台所で、老婆がこんな独語を云って居る。

彼の女は今年七十幾歳になる老人で、安政の地震をよく知って居た。其の折彼の女は、十六七の若い娘で、江戸の内でも一番被害のひどかったと謂われる、深川の冬木に住んで居たのだが、而も幸いに難を免れて、今日まで長い世の中を生きて来た。彼の地震に関する知識は、此の老婆の経験談と、大森博士の著述とに負う所が頗る多い。大森博士は云う、大震の起る時刻は日中に少く、大概夜間か払暁であると。果して老婆の話に依れば、安政の大震は夜の十時頃に江戸を襲った。博士は曰く、東京は山国と違って、普通の地震に地鳴りを聞く事は稀であるが、然し大震の起る前には必ず此れを伴うと。そうして老婆は、あの晩地震の直ぐ前に、何事が生じたかと思うような、轟然たる地響きを聞いたと云う。博士は曰く、東京の下町で、最も地盤の強固な所は銀座から築地へかけての一廓である。反対に最も脆いのは本所深川浅草の全部、及び神田の小川町であると。老婆の話は、又此の説をも裏書きして居る。其の他大風の吹く日には、大震の起った例のない事、日本造りの二階建て、三階建ての家屋では、上に居る程安全な事、厠、湯殿、物置等、簡単な平屋は容易に倒壊しない事、煉瓦塀の危険な事、西洋館では、窓やドーアの枠の中に、鴨居に乗って立って居るのが、一番大丈夫である事、彼は博士と老婆から、交々此れ等の教訓を与えられた。

「それ故若しも、今日の内に大地震があるとすれば、恐らく夜になってからだ。今夜からあすの明け方へかけての間、それが一番心配な刻限だ。」――

彼は飽く迄、老婆の予言の中らない事を熱望しながら、内々やっぱり彼女の直覚を畏れて居た。其の上、いやな事には午後になってから、風が全くなくなって居る。縁側の障子の、ガラスに映って居る草葉の影を、いかに長い間視詰めても、微塵も動かない。額越しに望まれる庭の向うの、遥かな丘の上にある銀杏の大木の梢を仰ぐと、それがくっきりと青空に聳えたまま、まるで油絵の遠景の如く静まり返って、先の先の小さな葉までそよとも揺ぐ様子がない。

「それ御覧なさい、ね、風がちっとも吹かないでしょう？　いくら風がないと云ったって、大概の日には、表へ出ると少しは吹いて居るもんです。今日のように、薄の葉や蜘蛛の巣までがまるきり動かないような、こんな日はめったにありゃしません。どうしても今夜あたりは大地震がありますよ。ちょうど安政の地震の日にも、昼間はこんな天気でしたっけ。」

いつしか老婆が彼の枕元へ来て、一国らしい、妙にぎらぎら底光りのする瞳を据えて、脅やかすように彼に云った。

「そんな馬鹿な事があるもんか。今日のような風のない日はいくらもあるさ。」

こう云って、笑おうとした彼の唇は、意地悪くもピリピリと痙攣を起して、微かに顫えた。

「いいえ、あなた、こんなに風のない日と云うものは、容易にありは致しません。どんなにないように思われても、よく気を付けて見ると、あの高い所にある銀杏の葉なんぞが、きっと少しは動いて居るんです。旦那は今までに、其れを試して御覧になった事がないんでしょう。嘘だと思し召したら、此の後気を付けて御覧なさい。――尤も今夜の大地震に、運よく助かったらの話ですが、………」

日が暮れたら風が出るだろう。夜が近づくに従って、少しは涼しくなるだろう。そういつ迄も、朝から晩まで無風状態が継続する筈はない。………しかしだんだん日が翳り出して、薄暗くなった天井に、電灯のカアボンが、紅い、ルビーのような光を滲ませて来たが、依然として風は全く死んで居る。息のつかえるような、頭を圧しつけるような暑熱が、天地の間に磅礴して、寝て居る彼は動ともすると、重苦しさに気が遠くなりそうである。其の癖神経は刻々に昂奮して居るらしく、時々、何の理由もないのに動悸がドキドキと早鐘を打って、襟頸から蟀谷の辺へ、血が恐ろしく上って来る。

「さあ、いよいよ夜になりましたよ。ね、旦那、やっぱり風がないでございましょう？……
……此の塩梅じゃあどうしても揺りますよ。………ようございますか。いつかもお話ししました通り、大地震には必ず其の前に地鳴りが致しますからね。始終枕に耳をつけて、地鳴りに気を付けていらっしゃいましよ。若し、遠くの方からゴウゴウと云う音が聞えたら、其の時こそいち早くお逃げなさいまし。そうすればあなた、大概無事に助かりますよ。」

老婆は子供を諭すように、嚙んで含めるように云った。

「だがお婆さん、私はこんなに熱があって、体がふらふらして居るんだからなあ。………逃げるって、全体何処へ逃げたらいいだろう。」

「………」

其の時老婆は、黙然として首を傾けつつ、何か外の事に注意を奪われて居るようであった。あたりはもう真暗な夜になって居た。庭に立って居る黒い木の影が、やはり人間と同じ恐怖に襲われて、将に起らんとする天変地異を、息を凝らしつつ待ち構えて居る。………

「ちょいと、旦那、………あれをお聞きなさい。」

ふと、老婆は低い声で、こう云いながらにやにやと笑って、猶も熱心に耳を澄ませて居る。

「ね、旦那、あれがあなたに聞えませんか。………」

笑って居た老婆の顔は、やがて生真面目に引き締まって、例の怪しい瞳の底には、極度に緊張した神経が、次第に強く光り始める。

「何が聞えるのさ、お婆さん。何がさ………」

半分物を云いかけた彼は、俄かに何事にか怯えたように、黙ってしまった。彼の耳は、此時突然或る音響を聞いたのである。――――聞える、………たしかに聞える。其れはいつから鳴り出したのか分らないが、遠くの方で、鉄瓶の湯の沸るような音が、微かにゴウゴウと呻って居る。思うに余程以前から鳴って居たのであろう。そうして彼が気が付いた頃には、大分ハッキリ聞き取れるようになって、見る見るうちに、汽車が走って来る程の速力で、ますます近く、ますます騒然と響いて居る。もはや一点の疑う余地もない。………

「あれが地鳴りかい？」

「そうです。」と云う代りに、老婆は堅く口を噤んで、頤で頷いた。其の間に、もう音響は遠雷ぐらいの強さになって居た。彼はあわてて夜着を撥ね除けて、立ち上ろうとしたが、老婆は至極落ち着き払って、まだ枕元に据わって居る。

「お婆さん、まだ逃げないでも大丈夫かい。」

彼は、恐怖が下腹の辺から胸の方へ、薄荷のようにすウッと滲み上って来るのを感じた。

「いいえ、もう逃げなければいけませんよ。………けれど私は逃げない積りなんです。私なんざあ、安政の大地震にも寝て居て助った人間ですもの。斯うして居ても、大概うまく助かりますよ。だが、あなたは早くお逃げなさい。逃げるなら今のうちです。一刻もぐずぐずしては居られません。もう直ぐ地震がやって来ますから。………」

此の時地鳴りは、さながら耳を聾するような大音響となって、老婆の話し声を圧してしまった。彼は咄嗟に再び夜着を撥ね除けたが、うっかり立ち上ったら逆上して眼が眩みそうなので、其れが又非常に心配になった。

「おい、みんなどうしたんだ、お光は居ないかお光は？」

彼は一生懸命に咽喉を搾って、妻の名を呼んだ。しかし其の声もやっぱり地鳴りに掻き消されて、自分の耳にすら聞き取れない。急に動悸が激しく搏ち出したので、彼は面喰って、両手でしっかりと心臓の上を抑えた。此の工合では逃げ出したり逆上したりする前に、先ず心臓が破裂して死ぬかも知れない。……

もう助かろうと云う望みはなかった。ただ、俎上の魚が跳ね廻るように、最後の断末魔まで、死に物狂いに暴れるだけの話であった。彼は相変らず、後生大事に心臓を抑えたまま、勃然と身を挺して立ち上ったが、案の定、頭の中がグラグラして精神が渾沌となり、バッタリ倒れかかったので、再び四つん這いになってしまった。……忽ち天地を震撼するような、海嘯の押し寄せるような、一段と豪壮な、雄大な地鳴りが始まって、百獣の咆えるが如く轟いて居る。……

其の瞬間に彼は喜ばしい事を発見した。「なんだ、此れはほんとうの地震ではない。己は大丈夫死ぬ筈がない。」と、彼は思った。彼は幸いにも、自分が現在夢を見て居るのだと云う事を、夢の中で意識したのである。けれども夢の中にもせよ、地鳴りはいよいよ物凄く、動悸はますます昂進して、少しも恐ろしさに変りはない。おまけにいくら眼を覚まそうと焦っても、どうした訳か容易に夢を振り解く事が出来ない。彼はまた、もう一つ不思議な現象に心付いた。――よくよく考えると、地鳴りだけは確に夢に違いないが、動悸の方は夢ばかりではないらしく、実際に心臓が気味悪く鳴って居るのである。それ故地震は夢であっても、心臓が破裂すればやっぱり死ぬに違いない。夢の中で死ぬと同時に、ほんとうに死んでしまうかも知れない。

そう思って居るうちに、彼はハッと眼を覚ましたが、果して動悸がドキドキと響いて居る。もう少し夢を続けて居たら、正しく心臓が破裂するところであった。あたりを見廻すと、枕元には老婆も居ず、隣の部屋では妻が機嫌よく笑いながら、子供をあやして居る。

「そうだ、案に違わず夢だったのだ。地震ではなかったのだ。地鳴りも何も聞えはしない。」――

けれども彼は地鳴りの代りに、耳がガンガン鳴って居る事を発見した。恐らく其の耳鳴りが夢の中へ現れて、あの凄じい地響に聞えたのであろう。畢竟、眼が覚めて見ても、夢と実際上の間には殆んど此れと云う差別がなく、彼は未だに幻想の世界に居るような心地がする。そうして、いつの間にやら実際の世界も、夢で見たのと同じような蒸し暑い夜になって居る。依然として、風がちっとも吹かない。纔かに老婆の居ない事と、地鳴りが耳鳴りに変っただけで、やっぱり不安な不愉快な、大地震の揺りそうな宵である。

全体彼は、何処までが実際で、何処から夢に這入ったのか分らなかった。たしかに夢だと思われる箇所もあるけれど、どうしても夢でなさそうな気のする点が矢鱈にあった。何でも彼は大分前から、ぼんやりした半意識の境をうろついて、幾度となくいろいろの夢を見たり覚めたりして居たのであろう。紗のように薄い柔かい衣を、何枚も何枚も身に纏うように、夢の上へ夢を襲ね、一つの泡から無数の泡を噴き出して、果てしもなく妄想の影を趁うかと思うと、やがて又一枚一枚に其の衣を脱ぎ、一つ一つ其の泡を失うて、明るい現実の世界へ戻る。――そんな真似を何遍となく繰り返して居たのであろう。

彼は今、稍ハッキリと意識を恢復したけれど、しかしまだ完全に、現実の世界へ帰ったような気分ではなかった。どうも何処か知らに、紗の衣が一枚か二枚被さったまま、取り残されて居るらしかった。そうして、折角ハッキリしかけた意識が、純白な半紙を墨汁へ浸したように、隅の方から次第々々に曇り始めて、捨てて置くと白い部分がだんだん小さくなって行った。数限りもない夢の夢を潜って来たのに、まだまだ後からもくもくと夢の雲が押し寄せて来る。恰も高山を行く旅人のように、彼の心は今晴れたかと思う間もなく、直ぐ又霧に包まれる。………

「己はもう夢を見ては居ない。今己が聞いて居るのは、地鳴りでなくてたしかに耳鳴りだ。しかし其れにしても、今夜は実際大地震が揺りそうな晩だ。己はほんとうに、地鳴りに注意して居なければならない。」

と、彼は考え始めた。

体がふらふらするにもせよ、地震が揺ったら逃げられるだけは逃げて見よう。其の代り、此の大地震に首尾よく助かりさえすれば、もう安心だ。人間一生のうちに、大地震は大概一度しかないのだから、今度の奴をうまく逃れたら、もう心配な事はないのだ。後は体を丈夫にして、病気に罹らぬ用心さえすれば、いくらでも長生きは出来るのだ。そうなったらどんなに彼はせいせいするだろう。どんなに自己の幸運を天地に謝する事であろう。
――どうせ一度は打つかるものなら、いっそ一日も早く、自分の運命を孰れかへ片附けてしまった方が、却って思い切りがいいかも知れない。

兎にも角にも、今夜の大地震が彼の一生の運試しなのだ。泣いても笑っても、彼の天命は其の時定まるのだ。彼が短命な横死を遂げるか、幸運な長寿を保つか、仰るか反るかの大事件が、一に其の際の彼の挙措に懸って居るのだ。斯うなって見ると、彼は如何にかして巧妙に狡猾に、難関を躍り超えてやりたかった。彼は有らん限りの思慮を運らし知慧を絞って、万全な避難策を工夫しなければならなかった。其の為めにあんまり頭を使い過ぎて、一生馬鹿になってもいいから、是非共緻密な研究を遂げ、念には念を加えた上で、充分に確かな成案を立てた後、身に降りかかる大難を、冷静に沈着に、スポリと潜り抜けてやろう。

若し、今夜の大地震が、古来未だ嘗て前例のない、殆ど此の世の終りとも称すべき空前絶後のものであって、東京市中が海中へ陥没する程の大震であったら、到底免れる術はないのだから、避難策を講じたところで無駄な話である。そこで、仮りに今夜の地震の強さを、安政の其れと同じくらいの程度だとして、先ず第一に、彼の現在住んで居る家は、果して全然崩壊するであろうか。全部でなくて、一部分だけが崩れるだろうか。一部分が崩れるとしたら、抑も如何なる部分であろうか。そうして又、全部或は一部分が崩壊する際、一寸の隙もない程、ぴたんこに潰れてしまうだろうか。――此れ等が一番重大な問題である。

安政の記録に徴するに、当時の江戸の人家が、一軒も残らず潰れてしまった訳ではない。却って、潰れた家の数の方が、潰れない家の数に比すると遥かに少い。其の他は大概、震災よりも火災の為めに焼失して居る。直接地震で潰れた家は、殆んど悉く本所深川浅草等の、地盤の脆い下町にあって、江戸の大部分を占める山の手方面の建物は、割り合いに災害を受けなかった。此の事実から推定すると、家屋の崩壊するとしないとは、建物自身の強弱よりも、寧ろ建物の立って居る地盤の強弱如何と云う事に、余計関係を持つようである。そうだとすれば、彼の家は所謂東京の山の手――小石川の高台に位するのだから、十中の八九迄、崩壊の憂はないとも云える。若し十中の八九でなく、十が十まで崩壊の憂がなければ、其れこそ絶対に安全であるから、格別心配する必要はないが、茲にどうしても、十中の一二分だけは崩壊のポシビリティーが残って居て、其の僅かなる一二分の為めに、彼は非常な脅威を受けて居るのであった。

下町よりも山の手の方が地盤が強い。此れは一般に確かに事実である。しかし安政の地震の際に、下町の災害が激甚であったのは、必ずしも地盤の脆い為めのみならず、下町の位置が当時の震源地に近かったと云う原因もある。即ち彼の時の地震の中心地は、今の亀戸駅の附近であった。それ故、今夜の地震が全く同一の地点に震源を置かない限り、山の手と下町との災害の程度が、安政の時のように顕著なる差異を示すかどうか、頗る疑わしい。不幸にして震源が山の手方面、殊に小石川にでも発生したなら、恐らく彼の家は滅茶々々に潰れてしまうだろう。そんな場合は極めて稀であるけれど、少くとも自分の家が多少は崩壊するものと、断定する方が間違いがないらしい。

次ぎに平屋よりも二階屋の方が、抵抗力の微弱な事は明瞭である。彼の家は総二階ではないけれど、ちょうど病室と北の廊下との真上に方って八畳と四畳半の二階座敷が載って居る。だから彼の家の中で、一番危険なのは病室である。――そう気が付くと、彼は覚えず竦然とした。――いざと云う時、たとえ遠くへ逃げる事が出来ない迄も、せめて此の病室からは是非共逃げ出さなければならない。

かりに、二階が病室の上へ潰れて来るとして、天井の平面が規則正しく、垂直に沈下する筈はない。必ず幾分か曲ったり撓ったりして、凹凸を作りつつ降りて来るであろう。つまり、梁が緩んだ場合には、二階の床の、一番重い物を載せて居る部分が、真先に下へめり込む訳である。そう考えると、最も危いのは八畳と四畳半との境界にあたる箇所である。其処には高さ六尺に余る、頑丈なオーク材の本箱があって、中には洋書が一杯に詰まって居るから、多分五十貫目以上の重量が懸って居る。不断から其の辺の立て附けが狂って居るのを見ても、いかにあの本箱の重いかと云う事は想像される。疑いもなく、其処が第一に潰れて来るに違いない。すると、其の本箱の真下になるのは、病室の北の廊下であるから、大体に於いて天井が北に歪みつつ沈下するだろう。だから、病室を遁れる時には成る可く北へ寄らないようにして、逃げ出す事を忘れてはならない。

病室の北を避けて逃げ得る道に、二つの方向がある。一つは南の庭である。一つは西隣りの六畳の座敷である。此の座敷は平屋であって、おまけに箪笥と云う、究竟な庇護物が置いてあるから、病室よりは遥かに安全である。万一潰れても、遅く潰れるに極まって居る。問題は唯、此の六畳と南の庭と、孰れが余計安全であるかと云う点に帰着する。

天井の面が垂直に、病室の上に潰れて来ない事は前にも云った。それと同時に、天井板ばかりでなく、二階座敷全体も亦、必ず東西南北の孰れかへ傾きつつ倒れる事は明瞭である。好い塩梅に、真北か真東へ倒れてくれれば仕合わせであるが、若し少しでも、南か西へ傾くとすれば、庭と六畳との内、孰れか一つの上へ落ち懸って来る危険がある。成る程本箱のある箇所は、其処の天井だけめりめりと凹(へこ)んで、真先に下へ落ちるであろう。しかし、例の本箱が北にあるからと云って、必ず二階全体が、屋根ぐるみ北へ倒れると云う理窟(りくつ)はない。思うに二階全体の倒れる方向は、本箱の位置よりも、寧ろ地震の方向に依って決定するだろう。即ち地震が北から来れば南へ倒れ、東から来れば西へ倒れる。此れが一般の原則であろう。

彼の家は東西に細長く、南北に短かい建物であるから、地震が東西に揺れる際には、比較的抵抗力が強い。此れに反して、南北に揺(ゆ)す振(ぶ)られたら、忽ち崩壊するかも知れない。そうすると、六畳の方へ二階座敷の倒れる時は、つまり東西の震動であって、非常に稀な場合である。よし倒れても、倒れる迄には可なりの時間を要するであろう。反対に、庭の方へ倒れる時は南北の震動であるから、此の場合には何等の猶予なく、即座に崩れかかるであろう。それ故、南の縁側から直ちに庭へ飛び降りるのは、どうかすると甚(はなは)だ危険である。地震が東西から来ても、南北から来ても、兎に角一旦西隣りの六畳へ落ち延びて、然る後其処から更に、もっと安全な避難所へ移るのが最善の手段である。

人はよく、地震の際に戸外へ出るのは危いと云うけれども、此の説を一概に首肯(しゅこう)する事は出来ない。土蔵の傍(かたわら)とか下見(したみ)の前とか、家屋の倒れかかる範囲内の戸外に居れば、無論危いに違いないが、迅速に其の範囲を逸脱して、広闊な地面へ逃げれば、今度は非常に安全である。安政の地震にも、いち早く家を飛び出して、広い四つ角のまん中などへ遁れた者は多く助かって居る。尤も、地割れと云うような恐れはあるが、此れは地面が海中へ陥没するのと同様に、到底人力では防ぎ難い災で、そんな時には室内に居てもやっぱり助かる道理はない。彼の家は地盤の丈夫な小石川にあって、南の方から西南の方へ広闊な庭園を控えて居るのだから、結局其の庭園の西の隅の地域、――即ち孰れの方面から見ても、家屋の倒れかかる範囲外に位する地点、其処が彼の家中で最も安全な、絶対の避難所である。臨機の処置として、一旦西の六畳へ遁れた彼は、猶未だ完全に危難を脱して居るのではない。最後に、何とかして今云った庭の西隅まで到達すれば、茲に始めて、滞りなく脅威を免れた訳である。

六畳の座敷にも、南に縁側があって、其処から庭へ降りるのに差支えはない。しかしそうすると今度は六畳の座敷自身が、縁側の外へ斜めに倒れて来て、未だ範囲外へ落ち延びない内に、彼を後ろから圧し潰すと云う心配がある。況んや彼は病体で、敏捷な行動が取れないのだから、此の心配はますます多い。従って、六畳の座敷から直ちに庭へ出る事は禁物である。其処からもう一度、より安全な室へ遁れて、さて徐ろに機会を窺い、圧し潰される恐れのないのを見定めてから、悠々と庭へ抜け出した方がいい。……

どうしたのか、其の時彼はぱっちりと眼を開(ひら)いた。が、相変らず意識はどんよりと曇って、心(しん)から眼覚めたのではないらしい。彼は今迄眼を潰って、大地震の避難策を講じて居た事を想い出した。再び眼を潰れば、直ぐ其の思想が復活して、遂には何か形のある夢を育(はぐく)みそうであった。

ぼん、ぼん、ぼん、………と、時計が十時を打って居る。彼の病褥の傍(かたわら)には、薄暗い、陰鬱(いんうつ)な電灯の明りを浴びながら、妻と子供とがすやすやと眠って居る。

「ああ、もう夜半だ。天変地異が刻々に近づいて居るのだ。己は大急ぎで、研究を続行しなければいけない。是非共地震の来る前に、結論に到達してしまおう。」

彼はあわてて、再び思索に没頭した。

………且(かつ)、夜半とは云え、斯う厳重に四方の雨戸が締まって居ては、庭へ出るにもおいそれと云う訳に行かない。そうかと云って、わざわざ妻を呼び起して、今から雨戸を明けさせるのも、あまり突飛な、臆病な話である。………

そうだ、雨戸なんかは岐路(きろ)の問題だ。そんな事に頓着(とんじゃく)して居る余裕はないのだ。早く先(さっき)の論点に戻って、大急ぎで結末を附けなければ、ぐずぐずして居ると間に合わない。大至急！　ほんとうに大至急だ！

家屋が、東西に倒れる憂少く、南北に倒れる憂多しとすれば、彼は六畳の座敷から、何処までも東西の線に沿うて逃ぐるに如かない。ちょうど、母屋の西端に二た坪ばかりの湯殿がある。云うまでもなく、其れは頗る簡単な平屋造りで、床は頑丈なたたきであるから、屋根の下では此処が一番最後に倒れる部分である。彼は先ず、六畳の座敷から此の湯殿へ突貫する。そうして、恰もディオゲネスのように、風呂桶の中へ身を潜めて、其の上を蓋で塞いで置く。斯うすれば万一湯殿が倒壊しても、彼は桶に依って擁護されるに違いない。………ところで、湯殿には南と西とに出口があって、其れが二つとも庭へ通じて居るのだから、………

もう少うしで結論に到達しようとする一刹那、彼の耳は、不意に、遠くの方で鉄瓶の沸るような音響を聞いた。

「ああ、己は何と云う不運な人間だろう。もう少しと云う所で、とうとう地鳴りに追い付かれてしまった。………しかし、まだ地震が揺る迄には多少の余裕があるに相違ない。其の間を利用して、己は一と息に結論を捕えてしまおう。」

そう思って居る隙に、音響は一層接近したらしく、此の世の破滅の知らせのように、殷々として深い地の底から湧いて来る。

「………南と西とに出口があって、其れが二つ共庭へ通じて居るのだから、………ああ神よ、願わくば今直ぐ結論に到着する迄、暫く地震を控えさせ給え!」

彼は口の中で斯う云いながら手を合わせた。そうして猶も工夫を続けた。――――二つとも庭へ通じて居るのだから、飽く迄も東西の線に沿うて行く原則に律り、南の出口を避け、西の出口の雨戸を外して庭へ飛び出し、其処から西の隅の地点へ、真直ぐに逃げる。既に湯殿へ遁れた彼は、潰されても心配はないのだから、出来るだけ沈着に、充分に機会を待って、ゆっくりと落ち延びるがいい。逃げる時には、たとえ体がふらふらしても、成る可く四つ這いに這わぬ事である。四つ這いになれば、どうしても圧し潰される面積が拡大するし、何かの際に身を転す事が不自由になる。柱や植木に摑まっても、立って歩くに越した事はない。………

「さあ、此れでもう結論が済んだ。大分地鳴りが強くなって居る。已は一刻の猶予もせず、直ちに実行に取り掛ろう。今から支度を始めれば、大丈夫庭まで逃げられる。」

けれども彼が蒲団を撥ね除けて、立ち上ろうとする瞬間に、忽ち轟然たる爆音を発して、素晴らしい大震動が襲って来た。其れは明治二十六年の七月の時のに比べると、十倍も二十倍も激甚であった。「あっ」と云う間に、座敷の床は自動車の如く一方へ疾駆し出した。

………

彼は愕然として眼を覚ました。部屋の中には元のように、物静かな電灯の光が朦朧と漂うて、妻子はやっぱり眠って居る。

「なぜ己は、こんな無気味な夢ばかり見るのだろう。今度こそほんとうに、己は夢から覚めたのであろうか。どうぞほんとうに覚めてくれればいい。群がり寄せる妄想の中から、何とかして早く逃れてしまいたい。」

彼は眼瞼(まぶた)をぱちぱちやらせて、一生懸命に気分を引き立てようと努めた。好い塩梅に、段々意識が判然とする様子であった。今度こそ間違いなく、眼が覚めて来るらしかった。其の証拠には、今まで心に感じなかった歯の痛みが、再び Biri ! Biri-ri ! と、脳天へ響き始めた。………

かゆくてたまらなくてイライラしたときに！

［随筆］

掻痒記

内田百閒

〝私の頭を縦横無尽にひっぱたいて、
掻き廻した。
自分の頭が三角になる様で、私は痛快の感に堪えない。
いつまで経っても、もういいと云わないから、
いつでもお貞さんの方で切り上げた。〟

かゆみというのも、またつらいものです。

かゆみにたえながら、複雑なことを考えたり、スムーズに動いたりするのは、かなり困難です。平気な顔をしていることさえ難しく、どうしたって心はイライラしてきます。

そして、痛みとのちがいは、かいてしまうことで、自分自身を傷つけてしまうこと……。

かかないようにしようと思っていても、つい手が勝手にかいていたり。かゆみは、心も身体も勝手に動かしてしまうのです。

内田百閒

（うちだ・ひゃっけん）

1889－1971　小説家、随筆家。別号は百鬼園。岡山市生まれ。東京大学独文科に入学し、夏目漱石に師事。芥川龍之介、鈴木三重吉らと親交を結ぶ。卒業後は陸軍士官学校、海軍機関学校、法政大学でドイツ語を教えた後、作家生活に入る。鈴木清順の映画「ツィゴイネルワイゼン」の原作となった『サラサーテの盤』などの幻想的な小説から、独特なユーモアの『百鬼園随筆』まで幅広い。黒澤明の遺作映画『まあだだよ』の主人公にもなっている。

大学を出てから、一年半ばかり遊食した。

既に妻子があり、又老母の外に祖母も健在であった。友人と散歩から別れて帰る時など、よく「それでは左様なら。ぼそぼによろしく」と云う挨拶を受けた。お母さんによろしくだけでは足りない。お祖母さんにもよろしくと云うのを詰めて、そんな事を云うのである。子供は二人であり、その外に子守を兼ねた女中が一人、いたりいなかったりした。

そう云う大家族を率いて、遊食する程の資があったわけでもなく、又丸っきり無かったのでもなく、丁度無くなりかけた、あぶない加減のところであった。

子供の時は金持であった事を覚えているし、その後貧乏して、小さな家に移ったりしたけれども、学資には事を欠かず、尤もしまい頃は大分あやしくなっていた様にも思った。その頃合いが、私にはよく飲み込めないものだから、案外平気でいられたのかも知れない。

お蔭で卒業後の一年有半を安閑と過ごし、後年の大貧乏の礎石を築いた。

そうそう毎日就職の依頼に出かける先もないので、洋書を飾った書斎に坐り、尤もらしく新刊書を繙いたけれど、勉強が足りないのでよく解らなかった。原稿料を稼ぐために、翻訳をしようと思って机に向かうと、まだ始めない内から欠伸(あくび)ばかり出て、しまいには、ただ翻訳の事を考えるだけでも欠伸が止まらない様になった。それで翻訳も物にならず、うつらうつらと日を暮らした。

頭の方方(ほうぼう)が無暗(むやみ)に痒(かゆ)くなって来た。

遊食一年半の初めの内は、駒込曙町(こまごめあけぼのちょう)の新築の借家に住んだ。その当時はまだ母祖母(ぼそぼ)と上の男の子は郷里にいて、私と妻とその下の女の子と、それから郷里の町内から東京に出て、女学校に上がっていたお貞さんと、女中とでその借家に這入(はい)った。脊(せ)の高い老婦人が玄関前の庭に起(た)って、造作の事や、庭樹の世話などをした。その家は、森鷗外さんの弟さんの持ち家で、その方は京都に住んでいるので、お母様が東京の借家の世話をして居られるのだと聞いた様に思う。だから、その老婦人は鷗外博士の御母堂(ごぼどう)なのである。いくらか敬虔(けいけん)な気持でその借家に這入り、二階から南の空を眺めると、長い秋雲(しゅううん)の向う側が、晴れたなりに何処(どこ)となく暗く思われて、郷里の事や、これから先の東京の生活が気がかりになった。

頭の痒いのは、新建てで壁が乾いていない為だと云う者があった。眠っている間でも、夢中で頭を掻(か)きちらし、朝になって見ると、枕のまわりに、夜通し毟(むし)り取った髪の毛が、掃(は)き集める程散らばっていた。

起きている時でも、どうかした機みで、頭の方方が痒くなって来た。痒いところは無暗に痒くて、引っ掻いても、叩いてもまだ気がすまない。いらいらして、片づかない気持の持って行き所がなかった。それで屡、家内喧嘩が起こった。

引越しの時に頼んだ掃除町の運送屋が、落ちついた後でも時時遊びに来た。昔風の官員髭を生やして、ぴんと跳ね上がった尖を捻りながら、私の顔を見て、

「旦那、遊んでてはいけませんや。そりゃ、今日遊んでいられるちゅうな結構なこんだが、それじゃ済みますまい」と云った。親切な性質らしいので、時時話しに来ては私を激励する傍ら、どうかすれば、就職の世話でもするつもりかも知れなかった。

まだ郷里にいた時分、私は中学の二年か三年の頃から高等学校時代にかけて、家にさえいれば琴ばかり弾いていた。中学を卒業する前に、家が貧乏して酒屋を止めたので、町内の借家に移って住んだ。その隣りの荒物屋が、ずっと以前に私の家からお金を借りた儘になっているとかで、その内に私の方が貧乏したから、月月少しずつでも返すと云う様な話があったらしい。しかしそれもうまく行かなかった様である。荒物屋さんは家内じゅう救世軍なので、或る時御主人が私の家に来て、こんな事を云い出した。

「いろいろこれから先の事もお困りのことと思うが、幸い栄さんは大変音楽がお好きの様だから、いっその事、学校を止めて音楽の方で将来身をたてる様になさっては如何です。

お世話をするのも、御恩報じの一端と思うから、私の伝手で頼み込んで、栄さんが救世軍の音楽隊に這入られる様に話しましょう」

私は驚いて、祖母から丁寧にことわって貰った。運送屋もそれとなく私の就職口を心掛けてくれるらしいので、私は有り難く思いながら、同時に警戒した。

日記の間から、運送屋のくばった散らしが出てきた。「引越の荷もつは尾張屋にかぎる、おわしがやすくて第一しんせつです尾張屋には大工を置て引越の時には其大工が戸のいのかんのや又たな板を無料でなおしてくれる大家さんにたのんでもすぐにわ直らん尾張屋わ勉強です引越がおそいと其のばんにこまるなにほどとおくても午後二時までに荷物を尾張屋は届けるから引越の為にあしたわやすむと云う事がありません全く尾張屋は勉強です是非一度たのんでごらんなさい」

大工を置いて、戸のいのかんのを直してくれるわけではなく、口髭の生えた亭主が、自分で鋸や金鎚を持って来るのである。

曙町の家は、秋のあらしが吹き荒れる夜は、二階がゆさりゆさりと動くので、臆病な私は落ちついて寝ていられなかった。夜中に起きて見ると、又頭の方方が、気が違う程痒くなった。掻くと、雲脂の塊まりの様な小さな瘡蓋が落ちて、その後が少し濡れている様であった。友人が、君は頭を不潔にするから、そんな事になるんだ。しょっちゅう髪を洗いたまえと云うから、頻(しき)りに頭を洗ったけれど、益(ますます)痒(かゆ)くなるばかりで、頭の地の方方に、小さなおできの子の様な物がひろがったらしい。誰かがそれは湿疹(しっしん)と云う物であって、湿疹を洗ってはいけないのである。洗うとその度にひろがるから、乾かすに限ると教えてくれた。洗わない養生法の方が、無精者(ぶしょうもの)には適するので、今度はその儘(まま)にほうっておくと、頭の痒さは言語に絶する様になった。しまいには、自分で掻いたのでは、いくら掻きむしっても虫がおさまらない。どうしても人に掻いて貰(もら)わなければ、承知出来なくなって来た。妻は初めから逃げを張り、女中には云いにくいし、子供は小さくて役に立たないのである。するとお貞さんが、無茶苦茶なところがあって、その役目を敢然(かんぜん)と引き受けてくれた。

　私が新聞をひろげて、両手で顔の前に受けていると、お貞さんは後(うしろ)に廻って、私の頭を縦横無尽(じゅうおうむじん)にひっぱたいて、掻(か)き廻した。自分の頭が三角になる様で、私は痛快の感に堪(た)えない。いつまで経(た)っても、もういいと云わないから、いつでもお貞さんの方で切り上げた。

　段々、頭の地が盛り上がって来て、人の目にも解る様になった。

　運送屋が来て、私の顔を見るなり、万事(ばんじ)嚥(の)み込んだ様な事を云い出した。

「だから云わないこんではない。なんにもしないで、ぶらぶらしていなさるから、そら、退屈するからつい悪遊びをする。旦那、そりゃまあ、遊んでるうちは癒(なお)りませんや」

　そんな覚えはないと云っても、運送屋は承知しなかった。

身体の大きな女中が、夜遅くなって、何だかお勝手のところで、ことこと云わしていると思って、妻が覗（のぞ）いて見たら、毎朝顔を洗う金盥（かなだらい）に薬を入れて、膝頭（ひざがしら）の大きな腫物（はれもの）を洗っていたと云うので、気味が悪くなり、間もなく帰してしまった。

家の中じゅうおできだらけになる様な、いやな気持がした。

その次に来た女中は、顔が長くて肌理（きめ）の美しい女であった。段々に顔色がわるくなり、時時部屋の隅で考え込んだ。荒い絣（かすり）の著物（きもの）を著た男が、一二度訪ねて来た。その後で女中が泣いていた事がある。夜中に庭を歩いているのを妻が見たと云って、気味を悪がり出した。間もなく身持ちだと云う事が解って、暇（ひま）を取った。

その後に、伊豆の伊東から、可愛い十四五の女中が来た。私が外から帰っても、知らん顔をしているので、お帰りなさいませと挨拶（あいさつ）をしなければいけないと、妻が教えたのである。ある時、私が外から帰って、二階の書斎に坐っていると、その女中が梯子段（はしごだん）を上がって来て、襖（ふすま）を開いて手をついた。

「旦那様、お帰りなさいませ」

私が驚いて、どうしたのだと尋ねたら、

「先程旦那様のお帰りになりました時は、憚（はばか）りに居りました」と云った。

曙町（あけぼのちょう）の家には、厠（かわや）が一つしかなかったので、ある時私が這入（はい）ろうと思ったら、ふさがっていたから、その儘二階に上がって坐っていると、暫らくして、その女中が又襖の所に坐って挨拶した。

「旦那様、只今お憚りから出てまいりました」

そうして彼女はもう一度丁寧にお辞儀をした。

みんなで可愛がっていると、じきにその女中がまた暇をくれと云い出した。皆様が御親切にして下さるから、永くいたいと思うけれど、「麦めしと豚ばかりで、たべろと思えど食べられぬ。毎日毎日御飯が咽喉を通りませぬ」と云って、泣きながら、別れを惜しんだ。カツレツがきらいだと云う事に、こちらで気がつかなかったのである。

それで曙町の女中は途切れてしまった。木曜日の晩に、早稲田南町の漱石山房で、津田青楓氏から、今度高田老松町の家を引払うから、その後へ這入らないかと云われて、引越しする事にした。頭に一ぱいおできを載せたまま、掃除町の運送屋に荷物を運んで貰って、目白台に移り、郷里から母祖母子供を連れて来て、重苦しい遊食時代を現出した。むしゃくしゃする程、益頭の方は痒くなる様であった。自分の頭を物差しでなぐり、文鎮でこさげても、いらいらした気持は治まらなかった。

あんまり髪の毛が伸び過ぎたから、猶の事我慢が出来ないのだろうと思って、散髪する気になった。そのつもりで町を歩いたけれども、自分の頭のきたない事を考えると、床屋の前に起っても、中に這入る元気が出なかった。

江戸川橋の近くの小さな床屋に、思い切って這入って行った。私の順番が来て、椅子に腰を下ろした時、前前から考えておいた事を、私は暗誦する様に云った。

「少し、頭の中にでき物があるかも知れないから、気をつけてやってくれたまえ。櫛なぞ別にして注意してくれたまえ」

職人は「はあ、はあ」と云ったきりで、格別気にも止めなかったらしい。じょき、じょきと刈り始めて、暫らくすると、急に鋏が動かなくなった。片方の櫛を持った手で、そっとかぶさった髪を掻き上げている。それから又刈り始めた。そうして刈り込んでいると思うと、段段鋏を浅く動かして、その内に止めてしまった。そうして、黙って向うに行った。

私は椅子の上に取り残されて、その座に堪えない様な気持がした。だから初めに謝っておいたのにと思っても、その挨拶をもう一度繰り返すわけにも行かない。すると今度は親方の様なのが私の後に起った。何だか普通でなく、目に立つ程、腕まくりをしているらしい。そうして鋏を動かし始めたと思うと、又さっきの職人がそっと後に来て、親方の仕事著を引張っているのが、眼鏡を外して朦朧としている眼にも、鏡の中に見えた様に思った。

やっと終って、おつむりを洗いましょうと云うのをことわり、早早に金を払って表に出て、ほっと溜め息をついた。

家にいて、何をしても面白くもなく、第一、何をどうすると云う心当てがなかった。いつ迄もこうして、ぶらぶら暮らしていられる程の金は、もう家にはないのだと云う事を、時時病気の様に思い出す。しかし外に出て、人の家に就職の口を頼みに行くには、頭の事が気になった。当分人前には出たくなかった。そうして、ごしごし頭を掻きながら、相変らず、うつらうつらとその日を暮らした。

その当時、書き散らした文章の一節に、こんなのがある。

——目がさめたら、窓はさっきより暗かった。日が高くなって、日向が外の所に回ったのだろう。隣りの部屋で、人の話し声が聞こえた。その声で目がさめたのかも知れない。初めは何人だかよく解らなかったけれども、段段目がさめて、はっきりして来るにつれて、その声はすぐに解った。運送屋の亭主である。目がさめた時には、こんな事を云っていた。

「十年損をしました。まあしかし、もうこうなった上は、親は子供の為に犠牲になるべきものです」

私は運送屋が、また六ずかしい事を云うと思って、聞いていた。けれどもそれまでどんなことを云っていたのか些とも聞いていないので、話の筋が解らないから、十年損をしたとか、子供の犠牲だとか云うのは、何の事だか見当がつかなかった。私は、朝になって又入れ換えてくれたらしい温かい湯婆を蹠にあてながら、ぬくぬくした寝床の中に首だけ出して、隣りの部屋の話しを聞いていた。

祖母と妻とが相手をしているらしい。時時子供の声がその中に交じって聞こえた。

運送屋がこんな事を云う。「薄情な様だが、家内には、また掛けがえと云うものがある。いや全くですよ奥さん。実に薄情なことを云う様だが、家内にはまた掛けがえと云うものがある。そりゃもうその通りのこんだ。然るに」

六つになる男の子が、頓狂な声で尋ねた。

「運送屋の小父さんが、いつかくれた金魚は、あれは男か女か」

「さあ、小父さんはもうすっかり忘れてしまいましたよ。随分ふるいこんだ」

「あのねえ小父ちゃん」と妹が口を出した。「あの金魚は、もうとっくに、甕の中で死んでしまったの」

妻が二人に、あちらへ行って遊べと云っているらしい。運送屋は、あはあはと笑っている。

暫らくして祖母が「まあ、おいとおしやのう」と云った。

「ええ全くこの夏は泣きましたよ。工場を休んで居るわけに行かないから、出てると後から子供がよちよち、やって来まさあ。五つですからね。奴さんあぶねえ事もなんもお構いねえのだから、金物のかけらや、釘なんぞの散らばっている中を歩いて来ましてね、一度は引っぺがした箱の蓋(ふた)についてる釘の上に倒れて怪我をするし」——

頭の形勢が段段ひどくなるらしいので、到頭(とうとう)紹介を貰って、大学病院の皮膚科に出かけた。油薬の臭いが鼻につき、廊下にも待合室にも、へんな顔をした、胸くその悪くなる様な患者が充満していた。つくづくこんな所をうろつくのを厭(いと)わしく思ったけれど、人が私の頭を見れば、おんなじ事だと思うと、情なくもあった。しかし兎(と)に角(かく)、きたない者が大勢集まると云う事は、よくない事であると痛感した。

診療室に入れられて、皮張りの腰掛けに腰を掛けた。辺りの物がみんな少しずつ濡れていそうで、汚くて身が縮まる様な気がした。看護婦がぴかぴか光る鋏(はさみ)を持って来て、私の頭を刈り出した。非常に荒っぽく、やり方が痛烈を極め、髪の毛を切っているのだか、頭の地を剪(はさ)み取っているのだか、よく解らなかった。それが大変私の気に入って、もっと深く頭の皮を剝(は)いでくれればいいと念じた。

その後にお医者が来て、何だか冷たい薬を塗りたくり、一言も口を利かないで、又私の頭を看護婦に渡した。

看護婦がその上から、ぎゅうぎゅう繃帯(ほうたい)を巻いたので、すっぽり白頭巾(しろずきん)を被った様な頭になった。巻き方が固くて、特に縁(ふち)のところが締まっている為、何だか首を上の方に引き上げられる様でもあり、又首だけが、ひとりでに高く登って行く様な気持もして、上ずった足どりで家に帰って来た。

頭が綺麗に包んであるので、寝る時はさっぱりした気持であった。しかし枕にさわる工合は、何となく人の頭を預（あず）かっている様でもあった。

翌くる日の午頃（ひる）になると、繃帯の内側が痒（かゆ）くなって、どうにも始末がつかなくなって来た。上から引っ搔（か）けば、益（ますます）かゆくなる計りだし、その部分を捻（ひね）ったり揉（も）んだりするのも間接で、何の利き目もなかった。拳固（げんこ）をかためて、繃帯の上から頭を殴りつけ、まだ駄目なので、ふらふらと起ち上がって、床柱の角に、自分の頭をどしんどしんとぶっつけた。

郷里から新さんと云う老人がやって来て、逗留（とうりゅう）した。暫（しば）らくの間、祖母の話し相手になって貰（もら）うと云うつもりであったが、実は毎晩私と酒を飲んで酔っ払った。新さんは昔町内の夜鳴き饂飩（うどん）で、それから油売りもやり、小さな手車を輓（ひ）いて歩いた。又俥屋（くるま）にもなって、私の父を方方の料理屋やお茶屋に送り迎えをしたらしい。父のお気に入りで、殆（ほとん）どお抱えのようになっていた様である。私が五つか六つの時、ごわごわした袴（はかま）を穿（は）かされて、紋附の揃（そろ）いで、父の代理に市中の年賀に廻らされた事があるそうである。俥は勿論（もちろん）新さんの俥で、行く先は新さんが心得ていて、その家の前に停まると、新さんが私を抱き下ろし、私がお辞儀をして来ると、又新さんが抱き上げて、俥に乗せて次の家に走った。

その当時の写真に、私が鉢植えの菊の花と並んで写っているのがある。頭はおけしで、菊の方が私より脊が高いのである。しかし、きちんと袴（はかま）を著けて、口を尖（とが）らしている。その尤（もっと）もらしい様子が自分で見てもあんまり可愛らしくない。

そう云う因縁の老人と私は、毎晩盃（さかずき）を交わして、殆（ほとん）ど毎晩酔っ払った。何を話し合ったか解らないが、話しが合うと見えて、いらいらする頭を、繃帯（ほうたい）の上から殴りながら、談（だん）論風発（ろんぷうはつ）、盃を重ねて夜の更けるのを知らなかった。

私と一緒に学校を出た友人は、仙台や名古屋の高等学校の先生になって赴任（ふにん）した。私も自分の出た岡山の高等学校にきまりそうな雲行きでもあったが、結局そのまま立ち消えになった。生徒だった当時、生田流の琴と俳句とに身を入れ過ぎて、学校をなまけ、三年生の時は殆（ほとん）ど毎朝遅刻したので、そう云う旧悪が邪魔になったのかも知れない。遅刻したのは、私の家があまり学校に近すぎた為で、学校の構内にある寄宿舎の遠い部屋から教室に出て来るよりも、私の家の方が近かった位である。だから一たび遅くなった以上は、道を急いでその時間を取戻すと云う事が出来ないので、それで毎日遅刻した。後年、横須賀の海軍機関学校に教えに行った当時、汽車の中で、海軍士官がこんな話をした。

「家は一軒空いているけれど、生憎（あいにく）駅の近くだ」

「どの位の距離かね」

「五分とかからないだろう」

「そりゃ駄目だ、少くとも十五分位の距離はないと、取り返しがつかないから、しょっちゅう汽車に遅れる事になる」

私は横からその話しを聞いて、経験者でなければ云われない至言だと、心中大いに感服した。

花が散って、若葉が出揃う頃から、段段頭の地が乾いて来る様に思われ出した。そうと気がついてからは、目に見える様に工合がよくなって、間もなく綺麗に癒ってしまった。癒った跡は禿にもならず、ただところどころ、あんまり引っ掻いたりした跡の頭の地が、少し薄赤くなっているだけであった。

それで私は半年以上の鬱憤を晴らすために、頸の筋が痛くなる程手間をかけて、頭をごしごしと洗った。

その後で髪の毛を乾かして見ると、さっぱりしたけれども、何となくまだ物足りなかった。

本当に癒ってしまった様な気持になりたいと考えた。

それで熟慮の末、一たん丸坊主になろうと決心した。家の者に話すと、何か云うかも知れないから、黙って私は床屋に出かけた。

頭がそんなになる前には、本郷の喜多床か、同じ並びにある支店かにきめて居たのだけれど、へんな風になってからは、一度も行かなかった。その内に、曙町から目白台に引越して来たので、またわざわざ本郷まで出かけるのは億劫である。近所の老松町の通にある床屋に這入って、順番の来るのを待っていた。

「お待ち遠様」と云われて、鏡の前の椅子に腰を掛け、眼鏡を外した。若い職人が、頸に紙を巻き、布を巻き、それから白布をかぶせて、裾をぴんぴんと引いて皺を伸ばした。そうして、一歩離れて、「どう云う風にお刈り致しましょう」と云った。

「坊主にして下さい」

「何で御座いますか」

「頭の髪を剃刀で剃って下さい」

職人は、片手を私の頭の上に翳す様にして、聞いた。

「お剃りになるのですか」

「そうです」

職人は黙って私の傍を離れて、一つ置いた向うの椅子で仕事をしている親方の所へ行った。

　何だかひそひそ話しているらしい。しかし、いつぞやの江戸川橋の床屋の時と違って、私の頭には何の憚るところもなかった。だから、別にわくわくする事もなく、すましていると、職人が私の傍に帰って来て、黙って白布を外して隣りの椅子に投げかけ、頸(くび)に巻いた布も紙も丁寧に取り去ってから、椅子を少し廻して、お辞儀をした。

「手前のところでは、坊主はお剃り致しません」

私は急に顔が赤くなる様な気がして、あわてて往来に出た。歩きながら、気を落ちつけて考えて見ると、実に怪しからん床屋だと思われ出した。

その日は木曜日で、漱石先生のお宅にみんなが行く日なのである。鬱陶(うっとう)しかった頭の毛を剃(そ)り落とし、さっぱりした気持で、先生の前に出て、「綺麗になおってしまいました」と挨拶(あいさつ)したい気持もあったに違いない。老松町(おいまつちょう)の通りから椿山荘(ちんざんそう)の前を通り、関口大滝の水音を聞きながら、急な目白坂を降りて行った。

それから山吹町の通に出て、矢来下(やらいした)から早稲田南町の先生のお宅に行く前に、床屋は道の両側に、あすこにも、ここにもと思う程あるけれども、さっきの失敗に懲(こ)りて、何だか這入(はい)りにくかった。

到頭(とうとう)、先生の家のある早稲田南町の横町まで来てしまった。先生の書斎から続いた庭の崖下を流れている深い溝が、横町を横切り、木の橋が架(か)かっている、その橋の手前の泥溝(どぶ)縁(ぶち)にある小さな床屋に、思い切って這入って行った。

「頭をきれいに剃りたいのだが、やってくれますか」と私は用心して、腰を下ろす前に、確かめた。

「入らっしゃいまし。かしこまりました」

親方は向うの棚で、昔風の剃刀(かみそり)の刃を合わした。

「惜しいですね」と云って、親方が長く伸びた髪の毛を引っ張った。

「なあに」

「よろしいんですか」

「頼みます」

瞬(また)く間に終って、椅子の上に半身を起こして見ると、向うの鏡に大入道(おおにゅうどう)がぼんやり写っていた。

坊主になれば涼しいかと思っていたら、そうではなくて、頭に芥子(からし)を貼った様にひりひりして熱かった。その癖、頭の地から少しばかり離れたところが、非常に涼しい様な、よく解らない気持がした。

往来に出ると、そよそよと吹いて来る夕風が、筋の様になって頭を渡った。目がぱちくりする様に思われた。

漱石山房(そうせきさんぼう)の玄関に起って、ベルの釦(ボタン)を押した。小宮豊隆(こみやとよたか)さんと一緒に行くと、御自分で格子の間から手を突込んで、釘を抜いて這入(はい)って行くのだけれど、私などは、つつしんで女中が取次に出て来るのを待っている。

女中が出て来て、式台でお辞儀をした。そうして私の顔を見てから、その儘、私を格子の外に待たせておいて、先生の書斎に取りついだ。いつでもそう云う順番なのである。女中が私の頭を見て、笑ったりすると困ると思って、内内心配していたけれども、そんな様子もなさそうなので、先ず安心した。

女中が帰って来て、格子の釘を抜いて、「どうぞ」と云った。それで私は玄関から廊下を通って、先生の書斎に近づくと、家の中の風が頭にしみた。もう二三人、人の来ている気配である。

私が扉を開けて中に這入り、板の間の方の閾際に坐って、正面にいる先生にお辞儀をした。

先生が私の頭を見ている。

同席の人達も、不思議そうな顔をして、私の坊主頭を眺めた。

「頭がすっかり癒りましたので、坊主になってまいりました」と私が挨拶をした。

「ふん」と漱石先生が云って、鼻のわきを少し動かした。

それから暫らくして、先生は私の頭から眼を転じて、傍にいる小宮さんの方に向かった。

小宮さんはその当時、長い髪に油をつけて、綺麗に分けていたのである。

「小宮なぞには、こう云う真似は出来ないだろう」と先生が云った。それから少し笑って、
「坊主になれるかい」と小宮さんに確かめた。

小宮さんが何と云ったか、覚えていない。これでこのEkzemaの話はおしまいである。概略二十年前の話なのである。

その後、私の頭の外側には異状はない。最近になって、本屋が私の文章を上木してくれる事が多いので、その都度、私は自分の本を小宮さんに送っている。小宮さんからは、いつでも行き届いた叱正を寄せられるのである。先日、私の「続百鬼園随筆」について戴いた手紙の中に、自分は裸になりたいと思っているくせに、なかなか裸になれない。君は今度の本で大分裸になりかけている。裸になって、幽霊が出たら、二十世紀の怖るべき幽霊であると云う風な事が書いてあった。

裸と坊主とは事が違うし、第一、小宮さんの来書とこの搔痒記は何の関係もない。ただ私はその手紙を貰った時、急に二十年前の坊主を思い出し、それから小宮さんの顔や、漱石先生の顔が目の前にちらついたのである。

ストレスが原因と言われてイライラしたときに！

［韓国文学］

当面人間 ——しばらくの間、人間です

ソ・ユミ

斎藤真理子 初訳

〝最初は首の後ろと肩が固くなり、
徐々に、わずかな衝撃でもピシピシとひびが入り、
ちょっとしたダメ出しや口出しにも
かすが落ちるほど弱ってしまった。〟

ストレスが原因とか、ストレスがよくないとされる病気や不調はたくさんあります。「ストレスを減らせばよくなる」と簡単に言われたりしますが、ストレスを簡単に減らせるくらいなら苦労はしません。むしろ、ストレスを減らせと言われることが、さらにストレスになってしまいます。ストレス社会の中で、ある人がイライラを人にぶつけ、ぶつけられた人もイライラし、イライラはふくれあがっていくばかり。いったいどうしたら……。

ソ・ユミ

（徐柳美）

一九七五年ソウル生まれ。二〇〇七年に『ファンタスティック蟻地獄』で文学手帳作家賞、同年に『クールに一歩』で第一回チャンビ長編小説賞を受賞して作家デビュー。短編集に本編を含む『当分人間』『誰もが別れる一日』、長編に『あなたのモンスター』『終わりの始まり』（金みんじょん訳、書肆侃侃房）、『ホールディング、ターン』『私たちが失ったもの』などがある。

メッセージを送ってから五時間が過ぎた。何日か泊めてもらえないかな？　で始まるそのメッセージは、何度も書き直したものだった。長くもなく短くもなく、堅苦しくもないが失礼でもないように頼みごとをするのはとても難しかった。だが、五時間経っても返事がない。

Oはため息をつくと、キャリーバッグの持ち手をぎゅっと握りしめた。その中には一週間程度、場合によっては一か月ぐらいは外で暮らせるだけの服や道具類が入っている。QがOKしてくれなかったら、会社の近くのホテルに泊まるつもりだった。家を出る前に窓とガスの元栓を再確認し、靴をはいた。ドアをロックしているとメッセージが来た。

当面、いていいよ。

ありがと、ほんとに。

Oは救世主にでも出会ったように手を合わせた。

玄関を開けたQはまず、Oが持っている大きなキャリーバッグを、次にOの顔を見てもう一度驚いた。ちょうど電気炊飯器が大きな音を立てて蒸気を噴いているところだった。

蛍光灯の下に座ったOの顔はバリバリにこわばっていた。肌の表面は乾いた粘土のよう、眉間や口のまわりはピシピシひび割れて、旱魃のときの田んぼみたいだ。ひびは何筋にも分かれているが、どこから始まってどこで終わっているのかは服に隠れてわからない。Qは食事中も、Oの顔と手から目を離すことができなかった。

「いつからこんなふうになったの？　ネットで記事は読んだけど、実物を見るのは初めてだよ」

Qの視線が不快だったので、Oは下を向いて箸に集中した。ほんとに固いんだね、こうやったらポキンって折れそう。Qはわざわざ箸を置いてOの指に触れた。

身体が変形する人たちのことがニュースになったのは、先週の月曜日、夜のことだった。――最近、顔や首がガチガチに固くなって、ひどい場合には割れたりひびが入ったりして病院にやってくる方たちがぐっと増えています。逆に、体に力が入らず、ふにゃふにゃになったと訴える方もいます。

画面には、デスクの上にコンピュータが置かれた一般的なオフィスの風景が登場した。Oは食後の眠気のせいで横になっていたが、それを見るとガバッと起きて座った。そのオフィスがまるで自分の勤めている会社みたいだったからだ。

――このような身体変形症状の原因は、長時間のコンピュータ使用と運動不足、過度のストレスであることが明らかになりました。

マイクが大学病院の医師に移った。

――実際に皮膚や骨に異常があるわけではありません。女性の場合、顔が硬直したり軟化する際に対人恐怖症やうつ病の症状を呈することがありますが、規則的な運動と十分な休息だけでちゃんと回復します。

インタビューに答える医師の表情には変化がなかった。

顔にモザイク処理を施した三十代の女性は、頑張って体をよく動かしたらこわばりの範囲が狭まったと話し、三十代の男性は、ふにゃふにゃだった体が登山を始めてからしっかりしてきたと言って笑った。ニュースはそれ以上の情報を伝えず、「お天気と生活」コーナーに移っていった。集中して見ていたOは、おかしいなあ、と思いながらまた横になった。医者の言葉もインタビューの内容も、Oには全然当てはまらない。Oだってコンピュータの使用時間を減らし、毎晩運動をしているのに、こわばりの範囲が広がり、また状態も悪化しているのだ。しばらく前からは、ピシピシとひび割れまでするようになってきたし。

「何でこうなったの？　家を出たのはどうして？　教えてよ」

Oが口ごもっていると、Qは冷蔵庫から焼酎を出してきた。打ち明け話にはこれが要るでしょ？　と尋ねるような表情だ。焼酎は好きではなかったが、Qが注いでくれた酒をOは受け取った。

「いろいろよくないことがあったんだ。会社の問題とか……」

「会社移ってから、あんまり経ってないじゃないの」

「こんどの会社は……よそよりストレスがひどいんだよ」

「会社はどこだってそんなもんよ。ストレスがあるから給料もくれるんでしょ。どっちか一つなんて無理だよね。楽で面白いなんて、そんなの会社っていえる？　同好会でしょ」

Qは横目で軽くにらむとグラスのお酒をキューッとあおった。

Oはグラスをいじりながら、初めて症状が出たとき、または初めて自覚したときのことを振り返ってみた。前の会社に勤めていたときだから、四か月前か。給料が三か月も遅配になっており、給料日の後には空きデスクが一つ、二つと増えていった。辞める前にそっと教えてくれる人もいたが、多くは、仕事帰りの短い挨拶を最後に社を去ってゆく。Oはマイナス通帳*やクレジットカードに頼ってやっと生活していた。マイナス通帳は限度額ぎりぎりまで借りているので、決済日が来るとクレジットカードのキャッシングでようやく切り抜ける。切羽詰まって息をするのもやっとだったので、信用情報や利子のことなど気にする余裕はなかった。会社の状況については、良くなるだろうと言う人と望みはないと言う人がいて、まちまちだった。遅配分の給料はあきらめた方がいいと言われるたびに、Oの頬はガチガチにこわばっていった。

「いっそクビになって失業手当をもらう方がましだな」

カップラーメンにお湯を注ぎながら、同僚の女性社員がため息をついた。割り箸を割るとき一度に力を入れないので、ちゃんと割れない。

「この話聞いたら、みんな気絶しちゃうよ」

もう一人が割った箸をこすり合わせながらそう言って、Oと同僚の顔を見つめた。

「さっき経理部の人が教えてくれたんだけど……」

そこまで言って彼女は深呼吸した。Oは隣で生唾を飲み込んだ。

「私も聞いて呆れちゃった……給料の件だけどね、今も何人かにはきちんと支払われてるんだって。遅配分を一ぺんにもらった人もいるし。こんな状況なのに昇給した奴もいるん

＊韓国の銀行が扱う信用ローン商品の一つ。利用者の信用度に基づいて実行される貸付で、契約した通帳からは残額に関係なく一定の金額を自由に下ろすことができる。手軽に資金調達できる方法だが、返済不能に陥る人も少なくなく、問題が指摘されている。

だってさ。私たちばっかりアホ面下げて、おとなしくがまんしてたんだよ」

「ほんと？　確かなの？」

「ぜったい秘密だよ、こんなことがもしも漏れたら私がクビになるんだから、って言ってバタバタ走ってったから、ほんとなんだろうね」

カップラーメンのふたを開けてもいないのに、Ｏと同僚たちの顔には湯気がゆらゆらと立ち上ってきた。

「どうする？」

情報を教えてくれた社員が、不揃(ふぞろ)いに割れた箸の先をくちゃくちゃ噛んだ。

「どうするもこうするも！　知らないならともかく、知っちゃったらもう黙ってられないでしょう」

同僚の女性社員が大声を上げた。

年齢も入社時期も、ひょっとしたら年俸の額も似ていそうな二人は興奮の仕方も似ていて、我先に腹を立てた。そして、その場で「取り引き」をすることが決まった。遅配分の給料をもらうか、でなければ辞めて失業手当をもらうか。「窮鼠(きゅうそ)猫を噛む」の実物を見せてやろうというわけだ。Ｏも腹を立ててはいたが、こういうことには自信がなかった。

「うちの課なんか私一人でもってるのに、私をクビにできると思う？　絶対できないよ。

この給料でこれだけ働く人間がどこにいるっていうの?」

　地位も立場も似ている二人は自信満々だった。彼女たちは自他共に認める部内の優秀な働きアリだったのだ。彼女たちより遅く入社し、能力も劣り、年俸も少ないことが明らかなＯとしては悩ましかった。だが、一人だけ別行動をとるのもできない相談である。三人は、昼休みが終わったらそれぞれの課の課長に面談を要請することにした。

「いやー、厳しいご時世ですねえ?」でスタートした面談は、会社が大変なときほど苦痛は分担すべきだというありがちな話に流れた。給料をちゃんともらっている人の名簿には課長の名前も入っていたが、「苦痛分担」と発音するとき、彼はまばたき一つしなかった。大したもんだ。課長になろうとしたら芝居も打てなきゃいけないんだな。汚いけど学ぶべき点はある、と思いつつ、Ｏは課長の顔をまともに見ることができなかった。

「ところで、どういった件ですか?」

　今回のことを教えてくれた同僚と、秘密をばらした経理部の人に迷惑がかからないように配慮しなくてはならない。Ｏの話は堂々巡りして長引いた。会社にはずっと勤めたい、でも、このままでは暮らしていけない、会社の事情はいつ好転するかわからない、というところまで話しても課長の表情には変化がなかった。Ｏがちょっと話を止めると「続けてください」と催促された。結局、マイナス通帳やクレジットカードのキャッシングのことまで話してしまった。相手の切り札が何なのか想像もつかないのに自分の手の内をすっかり見せてしまうというミスを、Oは犯した。実は、取り引きだの駆け引きだのということには最初から自信がなかったのだ。何もしないわけにはいかないし、みんなで話をすることに決めたから悪あがきしてみたのにすぎない。

差し迫った困難がないためだろうが、課長は一向に焦(あせ)りを見せなかった。こんなことは何でもありゃしないと言わんばかりで、余裕たっぷりだ。相手の切り札が気になって、Oは胸がじりじりするほどもどかしかったが、こうなっては待つしかない。

「ふーむ……さっきも言ったように、会社の状況はよくありません。聞いたところでは、Oさんの方もずいぶん生活が大変みたいですけど……今、給料について確かなことは言えませんし、この状況下で現実的に会社がOさんにしてあげられることと言えば、失業手当ぐらいじゃないかと」

「……」

「どう思います?」

これは負けだ、と思った。優秀な働きアリでもなく、駆け引きに自信もないのに、何のつもりで面談を要請したのかと思うと、我ながら情けない。給料遅配の件はともかく、引き留めるふりすらしてくれなかったことでOはひどく落ち込んだ。

一時間後、Oと二人の同僚は社長室に集まった。一人は来週までに一か月分の月給を出すという回答をもらい、もう一人も今月中に三か月分の給料を支払う約束を取りつけたという。

「辞めるって言ったらうちの課長、あわてちゃってさ。あんまりびびってるから申し訳なくて、とりあえずもうちょっと残ることにした」

「私も、あと少しだけ頑張ってみようよ、辞めるのはその後でもいいじゃないかって課長に引き留められて、何も言えなくて。失業手当の話は出せなかった」

そして二人は、課長たちが悪いわけじゃない、上の人の指示通りにやっているだけだ、あの人たちには何の力もありゃしないと上司をかばうのだった。

「Oさんはどうなった?」

「あ、課長には会ったよ……それで、辞めるって言ってきた。意外と率直に話してくれたよ。会社の状況がさらに悪化してるから、給料についても確かなことは言えないって。それを聞いて、失業手当をもらった方がいいと思ったの」

「そうなんだ……まあ、みんな似たようなもんだね。実際、一か月分出すとは言ったけど、もらってみなきゃわかんないもんね。そうでしょ?」

「だよね、失業手当の方がましってこともあるよ」

二人の同僚とOは箸を割るように別れた。手を洗い、化粧を直し、それでは用事があるので、というていで、三人は自然に解散した。

Oは洋式便器に腰かけて、重たくこわばっていく首の裏と肩を揉んだ。今までに自分が言った言葉、聞いた言葉を再生してみた。空疎な言葉と本心のこもった言葉を、「ちょっと言ってみただけ」の言葉と婉曲話法と言い逃れを区別しようと努力した。けれども、頑張れば頑張るほど言葉はごちゃ混ぜになってしまう。「あ」という言葉は「あ」を意味しているのか？　実は「あ」の後ろには「お」があり、「お」と言おうとして「あ」を連れてきたのじゃないか。要するに、自分一人がばかを見て、損したんじゃないか。そんなことを考えているうちに、Oの肩は岩のように固まった。頭を下に向けたらボキンと音がしそうだ。

給料をもらったという話は聞こえてこなかったが、Oが辞めるまで二人の同僚はデスクを守っていた。

Oがそんな話をしている間にQは焼酎をもう一杯空け、ソーセージまで食べた。聞いていると、ずいぶん長いことOの近況を聞いていなかったなあという気がする。

「そこへもってきて、猫が集団で玄関前に住みついて……」

「それで家を出たんだね」

理由はそれか、と言わんばかりにQが箸で食卓をたたいた。

「そういうわけでもないんだけど」

とはいえ、Oが猫を恐れていたのは事実だった。不思議なのは、猫たちがそれを見抜いていたことだ。ゴミ袋をつついているときでも人が来れば必ず逃げ出す猫どもが、Oが通るときには悠々と自分の仕事を続けている。そればかりか、Oがじろじろ見ようものなら暴力的になって、鋭い鳴き声とともに背中を逆立てる。Oは驚いて大声を上げ、その場で固まってしまった。

「それ以外に理由があるの？」

返事の代わりにOは焼酎をあおった。

「もう、猫の何がそんなに怖いのさ？　あなたは人間で、猫の二十倍も大きいんだよ。そんなことで、どうやってこの厳しい世間をわたっていくの？」

Oがしかめっ面で水を持ってくる間、Qは水を飲むみたいに焼酎のグラスを空けていた。

Oも、おとなしくえさを食べている猫が怖いわけではない。この地域はワンルームマンションと一軒家が多く大きなビルがないので、猫が多かった。大通りに出ない限り、人より猫と出くわす確率の方が高い。Oの住むワンルームマンションのあたりは、大きなぶち猫の縄張りである。玄関近くをうろうろしたり、電信柱の下でゴミ袋を破っている姿をよく目にした。鳩を捕まえて食べているのを見てびっくりして転んで以来、Oはぶち猫を見るとさーっと逃げた。気づかないふり、見なかったふり、そーっと、静かに。そんな暮らし方はOの体質には合っていた。

最上階に住んでいる女性がときどき、エントランスのドアの横にえさを置いていた。えさを食べているぶち猫の横にしゃがんで話しかけていることもある。ぶち猫はそのえさを食べて、ますますこのマンションと一体化していった。エントランスだけではなく、一階にあるOの部屋の窓の前にもよく出没した。そのせいか、夜中になると近隣に散っていた猫が何匹もOの部屋の窓の前に集合した。二匹が向かい合ってずーっと鳴いていたり、何かを引きちぎるような音を立てて喧嘩することもある。そのたびに引き裂かれるのはOの睡眠であり、それを修復できず寝そびれたOは泣きたくなった。窓の方でチュッチュッと音がするので外を見てみると、ぶち猫がねずみを捕まえて弄び、内臓を引っぱり出して食べている。驚いたOが大声を出すと、ぶち猫は口をカーッと開けてこちらを威嚇する。毛を逆立ててハアーッと息を吐き出す様子に、Oはたちまち凍りついた。

そのころから首の後ろと肩がひどくだるくなりはじめた。首を回したり伸びをしたりすると、バキバキッと大きな音がする。以前なら一晩ぐっすり寝れば治ったが、お湯に浸かったり、東洋医学のクリニックで鍼を打ってもらってもよくなる気配がない。

そんな中でも毎日履歴書を送り、就職活動をしなくてはならなかった。一週間過ぎても履歴書を確認しない会社も多い。何のために求人広告を出しているんだろう？　担当者に電話して聞いてみたかった。二か月半で、面接を受けたのはたった一か所だけである。自分が履歴書を送ったのは実在する会社なのかどうか、Ｏは本気で疑わしかった。

　失業手当もあと一回もらえばおしまいだ。カレンダーを見ながらＯは割り箸を割った。力を入れるたびに、首の方でもバリバリッと割れる音がする。採用が決まったという電話が来たのは、カップラーメンのふたを開けて麺をたぐり上げた瞬間だった。人事担当者は、内部事情のため採用が遅れたと説明した。内部事情がどうだろうと、最後の失業手当をもらう前に月給のある世界に進出できたのは幸運である。担当者からの最初の質問は、いつから出勤できるかというものだった。美容院にも行かなきゃいけないし、就職が決まった記念に友達におごったりもして、新しい服も買おうと思ったら一週間ぐらいは必要かな、と計算していると、できるだけ早く、明日からでも出てくれるとありがたいと言うのだった。断ったら採用取り消しになりそうな気がして、出社しますと答えた。電話を切ってからＯは、のびてしまったラーメンを思い切って捨てた。

　引き継ぎで会った前任者は、かなりぶよぶよになってしまっていた。服の着方を工夫して隠しているが、一目でわかる。たぷたぷと揺れる体の方にＯが視線を向けると、前任者は不快そうにうつむいた。

「ここの仕事はそんなに難しくないですよ」

前任者は整理しておいたファイルを渡してくれた。Oは指がこわばって書類を一枚ずつめくることができず、一度に何枚もめくってから一枚ずつ丁寧にはがした。前任者も、固くひびの入っているOをちらちら見ていた。ぶよぶよにふやけた顔の上に、太いしわが現れてはまた消えた。

「ところで、そこ……いつからそうなったんですか?」

前任者がOの手を指さした。

「……何か月か前からです」

Oは、悪いことをしたのがばれた人みたいにうつむいた。

「私もだんだんふやけてきちゃって……病院にも行ってみたけど、過労とストレスのせいだって言われて。ちょっと休めばよくなるそうです」

前任者はその言葉に望みをかけたい様子だった。Oは、ガチガチになるのとぶよぶよになるのとではどっちが困るだろうかと考えてみた。

「仕事は大変じゃないですよ。でも、仕事の楽な会社って必ず、意地悪な人たちがいるじゃないですか……上からは押してくる、下からは突き上げてくる、それさえがまんすればまあ、いい会社です……ほんとはそれがいちばん難しいんだけどね」

誰かに聞かれるのが怖いのか、前任者は声をひそめた。だが、業務の引き継ぎより、職場生活の話の方がしたそうだった。

「そのためには、ちょっと強く出ないとね。ふにゃふにゃしてるとすぐにやられちゃいますから。そうなったらサンドイッチみたいに中間でがっちりはさまれて……職場生活が辛くなります」

前任者は体調不良のために辞めるという。手がぶよぶよなので、ペンを持ったりマウスをつかむたびに辛そうだった。そして、ここぐらい良い会社はなかなかないと言ったり、生やさしい会社ではないと言ったりしたあげく、言葉を濁した。

会社から帰ると、悪い知らせが二つ待っていた。一つは、えさをやっていた女性がエントランスの横に猫のための箱と毛布を置いていったことで、もう一つはぶち猫が子猫を四匹も連れて現れたことである。

五匹の猫はOがエントランスに現れると体をふくらませて警戒態勢に入る。Oは、家に入るために勇気を振り絞らなくてはならなかった。一大決心して一歩踏み出すと、ぶち猫が威嚇（いかく）するような鳴き声を上げ、子猫たちもいっせいにニャーニャー鳴き出す。誰もがすごく可愛いという子猫たちを前にしてOはすっかり凍りつき、もたもたと後ずさりした。

ドアの暗証番号を押し間違えてピッピッピッとアラームが鳴ってしまい、一度キーを取り落とし、震える手でようやくドアを開けた。怖さが五倍になったような気がする。

出勤するときもOは、ドアをロックすると一目散に逃げ出した。人間のくせに猫が怖くてたまらない自分が情けなくもあった。だが、あの目と口を見るとたちまちすくんでしまう。そこで、エントランスでぶち猫と遊んでいる女性に恐る恐る頼んでみた。

「あの……私、猫が怖くてですね。えさを電信柱の方に置くのはどうでしょうか？」

Oとしては、何度もためらった末にやっと切り出した言葉だった。だが、それを聞いた女性は、許せない不届き者を見たように目を大きく見開いた。

「猫がかわいそうだと思わないんですか？」

「追い出すんじゃありませんよ……冬でもないですし、子猫たちもけっこう大きくなったし、えさの場所だけちょっと移動させてはと……」

女性はOの言葉が聞こえないのか、猫を見つめているだけだ。そして、共生社会って言葉も知らないの？　と言うと舌打ちした。Oはなすすべもなく家に戻った。水を飲もうとして口を開けると、顎関節からめりっという音がする。あの人は猫にはあんなに同情するのに、隣人の意見はなぜ完全に無視するんだろう。腹が立つ。

「そんなことは大家に言えばいいじゃない。会社のストレスはどうしようもないけど、猫のせいで家を出たなんて言ったら、そのへんの犬にも笑われるよ」

Qは、Oの周辺で起きることやOの対応方法、その態度のどれもが気に入らなかった。聞いているとむちゃくちゃいらいらする。えいっと飛び込んでいって交通整理してやりたくなる。

「電話はしてみたんだよ……」

言われるまでもなく、大家には一部始終打ち明けたのだ。一階だからうるさいし怖いし、あの人と顔を合わせるのも気まずいんです。私、まともに寝られないんですと言うと、大家の女性はよく聞こえなかったのか、何？　猫？　猫が住んでるの？　と聞き返した。はい、と答えてOが最初からゆっくり大声で説明し直すと、ああ、猫ね、猫がいるとねずみも捕まえてくれていいわよねえ、最近すごくねずみが多いから、と言うだけで相手にしてくれない。かくして、このマンション内の序列は確実に決まってしまった。大家の下に最上階の女性、その下に猫。ここでのOは、猫より劣る存在なのだ。

「要するに猫のせいで家を出たってことだよね」

「実は……何日か前に、空巣にも入られてね」

Qの目が初めて大きく見開かれた。好奇心が湧（わ）いてきたのか、聞けば聞くほど無様（ぶざま）なので笑っているのかわからない。

「具合が悪くて半休とって帰ってきたら、誰かが玄関からダダダッと走って出てきたんだ」

と言いかけて、ぞっとしたのか、Oは体をぶるっと震わせた。三日前のこととあって、まだショックが消えていないのだ。部屋のドアノブを回すとあっさり開いてしまい、一瞬、不吉な予感が首筋をかすめて通り過ぎた。風邪気味の体から汗がどっと噴き出した。

五坪あまりのワンルームの中はめちゃめちゃだった。たんすの扉はもちろん、引き出しも一つ残らず開いている。Oは床と机の上の服をざっと横に押しのけ、まずノートパソコンを探した。それはこのワンルームにある品物の中でいちばん高価な、Oの宝物第一号だ。だが、どんなに部屋を探し回ってもノートパソコンは出てこなかった。最初はパソコンが惜しくて、その後はあの中に入っていた資料のことを考えて落ち込んだ。あの泥棒は、ノートパソコンという機械を盗んだのではなく、Oの過去と現在、生活そのものを強奪していったわけである。仕事、余暇、個人情報に関するすべてが一瞬で消えてしまった。怒りと虚脱でOの体はガチガチに固まった。

そして、さっきエントランスで出くわしたあの男が犯人かもしれないという点に思い至ると、急に恐怖に襲われた。背筋がぞーっとしてたちまちひび割れが走る。あの男は私の顔を見ただろうか？　男の顔は思い出せない。このマンションで一度も出くわしたことのない、見覚えのない人だった。でも、どうやってここに入ってきたんだろう。それは事実上、成立しえない質問だった。Oが引っ越してきて以来、エントランスのドアの暗証番号が変更されたことは一度もない。このあたりの宅配業者もみんな知っているらしい。以前ここに住んでいた人たち、今の居住者たち、そしてその友達まで合わせたら犯人候補は無尽蔵だ。

Oはこんな時間に家に帰ってきた自分を責めたが、あと十分、いや五分早く帰ってこなかったことについては感謝した。本当に嫌な気持ちだったが、ノートパソコンを盗まれた程度ですんでよかった。Oの脳裡からは、毎日のようにニュースに登場する凶悪犯のありとあらゆる手口がなかなか消えなかった。Oはいつしかレイプされ、無惨に切り刻まれ、手足を切断され、臓器を摘出される危険に直面していたのだ。おかげでノートパソコンを盗まれたことはすっかり忘れてしまった。

けれども、Oは家にいても緊張をゆるめることができなくなった。寝ていても、ドアの外で足音がしたような気がしてぱっと目が覚めてしまう。退勤して停留所で降りるとマンションまで全速力で走り、周囲をきょろきょろ見回しながら暗証番号を押した。恐怖と疲労と不眠が続くと、首と肩はさらにカチコチに、頑なにこわばっていった。ときどき伸びをすると、背筋に沿ってバキバキッという音がする。

「びっくりだね。他に盗まれたものはないの？　警察に通報した？」

Qはポリポリときゅうりをかじっていた。

「怖くて、できなかった……犯人は犯罪現場に戻ってくるっていうじゃない」

その代わり、鍵の修理業者を呼んだ。老け込んだ業者の男性は鍵穴をあちこち調べて、何で交替するんです？　と聞いた。

「不安なもんですから。……実は何日か前に泥棒が入ったんです」

「ふーむ、これはかなりしっかりしたタイプだから、我々が開けるのにも機械が要るね……鍵穴を見たところ、無理にこじ開けようとしたわけでもないですし」

男はそう言うとOをちらっと見た。

「戸締まりさえちゃんとしていれば、そんな目にはあいませんよ。こそ泥どもはドアまでいじるわけじゃないからね。窓も、しっかりした防犯窓だから心配ない」

修理業者は道具箱のふたを一度も開けることなく、出張料金だけ受け取って帰っていった。これらのすべてが情けなく、みっともなくて、Oはその場で石になってしまった。世間の全ストレスがOに押し寄せてきたわけではないが、こうした一切がOの手に余るストレスであることは明らかだった。

「でも、通報した方がよかったよね」

Qはグラスを空けてまた酒を注いだ。注ぎながら、Oはここに何日ぐらい泊まっていくのだろうかと計算していた。Qが考える「当面」とは、一週間以内だ。だが、Oが引っぱってきたキャリーバッグは大きくて重い。浦項に出張に行った恋人は来週帰ってくると言っていた。一日休んだら翌日、会社帰りにQの家に来ることははっきりしている。

「そういうことで……当面、やっかいになるね」

そう言っている間にも、Oの体はさらに何回も割れた。手の甲の傷は引っかき跡というより、深いところまで達した裂け目のように見える。

「わかった……まあ、楽にしてよ。だけどあなた、ずいぶん割れちゃったねえ」

Oが力なくうなずいた。

「実はこのごろ、かすが落ちるんだ」

前任者は、病院に相談して辞めることにしたと言っていたが、一か月ほど勤務してみると、それは表向きの理由であって、実際には後輩の嫌がらせに勝てなかったんじゃないかと思えてきた。二歳年上の「主任」はせっかちな性格で、Oさえ見れば「Oさん、それ、まだできないの?」と聞く。Oがさっさと仕上がりを渡さないと大きなため息をつき、「Oさーん」と催促するのだった。それは一種のシグナルのようなものだ。その後で主任は爪をまっすぐ立てて、折に触れてOをひっかくのである。

「Oさん、何でそんなにのろいんです？　あれー、Oさんのコンピュータだけが変なのかな？　Oさんはまだうちの会社になじめないんですか？」

「Oさん、ここのこれ、抜けてるじゃないですか。Oさん、月末の精算書はまだ？」

二歳年下の後輩は業務を分担するとき、面倒な仕事は絶対に引き受けまいとして粘った。主任に頼まれた仕事を回すと不満いっぱいの顔をして、「何で私がこれをやるんですか？　じゃあ先輩は何を？　私がそっちをやっちゃだめですか？」と食ってかかる。Oを呼ぶときも状況によって呼称を変えた。「先輩、これ、仕上げしてもらえませんか？」と聞いてくるかと思えば、「終わったものからこちらにくださいい、Oさん」と言うこともある。ためらった末に、呼び方を統一しようと提案すると、「つまり先輩って呼ばれたいってことですか？」と皮肉る。

自分では自分のことをすごく平凡な人間だと思っていたが、徐々に、ストレスに弱く傷つきやすい人間に変化していった。最初は首の後ろと肩が固くなり、徐々に、わずかな衝撃でもピシピシとひびが入り、ちょっとしたダメ出しや口出しにもかすが落ちるほど弱ってしまった。具体的にどういう言葉が自分をひび割れさせるのか、Oはじっくり考えてみた。何だか、Oさん、と呼ばれるたびにそうなるようでもある。ごましお頭のサラリーマンたちを見ると否応なく尊敬の念が湧いてくる。会社に二十年も勤めたというだけでも、彼らはすごい人々なのだ。

　Oが来て以来、Qは掃除機をしょっちゅう持ち出すようになった。申し訳ないと思ってOがかけると、二時間くらいしてまたQがかけ直す。ローラー式の埃除去テープを買ってきて、すみずみの埃を取り除くこともあった。テープにはOのものと推定されるかすがびっしりと付着した。主任や後輩とお昼を食べに行っても、Oの食器のまわりや肘のあたりだけが汚れた。こぼさずに食べろと小言まで言われる。

　恋人が出張から帰る日が近づくと、QはOに玄関のキーを渡したことを後悔した。しかも恋人は一日早くソウルに帰ってきて、着くとすぐさまQの家に駆けつけたのだ。Oには、その翌日には夜遅く帰ってきてくれたらありがたいと言ってあったのに。予想外の来訪だったが、やつれてしまった恋人の顔を見ると嬉しさが先立ち、ぱっと抱き合った。抱擁すると恋人もすぐ興奮モードに突入した。キスしながらお互いの服を半分くらい脱がせたとき、ガチャッと鍵の音がした。あー、もう！　Qと恋人は同時にそう叫んだ。玄関を開けて入ってきたOは二人のすさまじい罵倒と険しい表情に、その場で固まってしまった。

　Oはキャリーバッグの持ち手をぎゅっと握った。Qには、猫がすっかりいなくなったので家に帰ると言っておいた。ああ、それは本当によかったと言ってQはふっと笑った。幸い、会社の近くの繁華街には安いホテルがいくらでもある。一泊ずつしても一か月はもちそうだった。

ドバイ、パラダイス、リバーサイド、エースといった屋号と外観だけでホテルの部屋の雰囲気を類推するのは、容易なことではない。単なる名前なのになあ、と思いながら、Oはホテル通りを二回も往復した。お金を出して一晩を過ごすのに、変なところに泊まりたくはない。

Oが選んだのはリバーサイドだった。認めたくはないが、ある程度は名前にすがりたい気持ちがあったのだ。リバーサイドのシーツと枕からはラックスのシャンプーの強い匂いがした。これなら雰囲気が悪いとはいえないよね、と思いつつベッドに腰かけた瞬間、隣の部屋からすさまじい嬌声が聞こえてきた。男の太いあえぎ声を聞いたOは失笑したが、時間が経つにつれて泣きそうになった。薬でも飲んでいるのか、男のあえぎ声が止まらない。いったいこのホテルのどこにリバーサイドのロマンがあると思ったのか、自分でも情けない。Oはイヤホンをつけてボリュームを上げ、ふとんをかぶった。出勤時間に合わせてホテルのドアを開けて出ていくときは、上着を頭からかぶりたい気持ちだった。

翌日はヘブンに行った。ホテルの名前だけが日ましに大げさになっていく。ヘブンには安物の芳香剤の強い匂いが漂っていたが、ラックスの匂いよりはがまんできる。静かだったヘブンの隣室からむせび泣きが聞こえてきたのは、うとうとしてまぶたが下がりはじめた午前零時ごろだった。

「あなたが私に何をしてくれたっていうの？　なのに今さら別れようって？　ほんとに、ひどすぎるんじゃない？」

女の口調には怒りがみなぎっており、それはすぐに涙に変わった。

隣室の男女は夜通し朝ドラの再現をやっていた。泣いている女を男がなだめ、女が大声で恨み言を言ったかと思うとまた愛をささやく。眠ったり目覚めたりをくり返したOは、恥をしのんでQの家に戻ろうと決めた。

Oのいない家で、Qと恋人は久々の充実した時間を過ごしていた。出張の間、離れていた二人はお互いを深く求め、その瞬間に二人が立っている場所がまさにヘブンだった。興奮と激情の中で二人は愛撫を開始し、ゆったりとセックスを楽しんだ。そのときピンポンとメッセージが届き、それを見てQは顔をしかめた。タイミングも悪いし、態度もガチガチに堅苦しくて、ほんとに困ってしまう。

キャリーバッグを持って玄関に現れたOを見て、Qはひそかにため息をついた。こうなっては、ホテルを転々としなくてはならないのは自分たちの方だと予感した。Oを追い出すには、こっちが出ていくしかない。

　Oの起床時間は一時間前倒しになった。顔のひび割れのせいで、化粧にいっそう時間がかかるようになったからだ。以前はしているかしてないかわからないほどのナチュラルメイクだったが、今は隠すことが先決である。裂け目にファンデーションを塗ってパウダーで隠すのに必死なのだ。化粧というより保守工事に近い作業だ。早起きして頑張っていたが、二度も遅刻した。暑い季節にさしかかったが、Oは体を隠すために長袖を着ていた。足もガチガチになってきて、歩くのが辛い。

　オフィスに入ると、Oを見て主任が時計をチラッと見た。

「Oさん、また遅刻だね？　いったい最近どうしたんです？」

「すみません」

　Oは頭を下げて席についた。Oを目で追っていた主任がくすっと笑った。

「お化粧の時間をちょっと減らせば遅刻しないんじゃないかなあ」

　Oがおろおろしていると、主任がオフィスの中を見回した。

「ひょっとして、うちに好きな人がいるの？」

　何人かがくすくす笑った。ふけが落ちるように、肩にかすが落ちてきた。Oは、落ちてきた耳たぶを手で受けとめるとぎゅっと握りしめた。

会社で面倒なことが起きると、前任者に電話した。最初のうち一、二回、業務について電話で質問し、助けてもらっているうちにいつの間にか癖になってしまった。前任者はOの言葉を黙ってよく聞いてくれた。そのうちOはこの人に、主任や後輩への不満、Qには言えない身の上話まで打ち明けるようになった。Oの立場や今の状況を理解しているのは前任者だけであるらしい。前任者は業務については親切に教えてくれるが、他のことを尋ねても、黙って聞いているだけだ。

「主任にこんなことを言われたときは、どうすればいいんでしょう？」

「正直、よくわかりません……それがわかるぐらいだったら、私が今、家でこうしてると思います？」

前任者の声はだんだん小さくなっていった。全身がゼリーのかたまりのようになり、動くことはもちろん、口を開くのもしんどいと言っていた。声はとても遠くから、障害物を通過して響いてくるみたいだった。

「最近は植物人間みたいに寝てばかりいます。電話もいつまでできるかわかりません。Oさん、私が電話したら家に来てくれることって、できますか？」

前任者の声は切実だった。Oも、耳たぶが取れてしまったので長電話は苦痛だった。とれた耳たぶは苦労して瞬間接着剤で貼りつけたが、耳全体にひびが入っているので、いつまでもつかわからない。

決裁書に誤って記載された「0」という数字のせいで、オフィスは朝からてんやわんやだった。問題の原因は後輩が整理してよこした領収書にあった。0がもう少し細かくチェックしていたら修正することもできただろう。だが二回チェックしても、数字の単位が違っていることまでは見抜けなかったのだ。「0」が一つ多い決裁書はノンストップで部長のところまで上ってしまった。主任もいつも通り、書類を一からちゃんと見たりせずにハンコを押し、部長に持っていったからである。部長に罵倒された主任は、午前中ずっと0に辛くあたった。

「0さん、あの決裁書、見たんですか、見なかったんですか? 私のチェックの仕方は知っているのに、こんなふうに杓子(しゃくし)定規に書類を回すなんて。私を困らせたかったんですか?」

主任の両手が腰より下に行くことはなかった。

「……前の人はゆるすぎて困ったけど……こんどはまた何でこんなに融通(ゆうずう)が利かなくてガチガチなんだろう?」

0はうつむいたまま、デスクの上や足元に落ちていく体の破片を見つめていた。それらはお菓子のくずみたいに小さくて、瞬間接着剤を使うこともできないほどだ。人が見たら消しゴムのかすと間違えそうだ。

後輩が来て、脇腹をクッと突いた。

「私が渡した領収書の合計、確かめ算しなかったんですか？　下がミスしたら、上で直してくださらないと。主任の性格を知らないわけでもないのに、どうしてそんなこと？」

後輩は腹話術を使うみたいに唇を少しだけ動かしていた。悪かったとかすまなかったとかは最後まで言わなかった。

「私もミスはしましたけど、決裁書を上げたのはOさんですよね。書類をアップする前には再確認すべきでしょ」

Oが席を立つと、後輩の顔色が赤くなったり青くなったりした。

Oは洋式便器に座って泣いた。泣き声が漏れてはいけないと思い、合間合間に水を流した。こんな環境では、前任者があんなふうになって会社を辞めたのも無理はない。涙を拭くと左の人差し指が力なく折れた。Oは中指で前任者の電話番号をトントンと押した。

「私の方も、Oさんに電話しようと思ってて」

今、来てくれますか？　と尋ねる前任者の声はあまりに小さくて、住所をメモするのも容易ではなかった。Oは書き取った住所のメモを手にしてタクシーをつかまえた。もうすぐお昼だった。

玄関を開けるとワンルームの内部が一目で見えた。昼間なのに電気のついていない室内は薄暗かった。壁側のベッドに寝ている前任者の姿が見えた。

「大丈夫ですか？」

Oは近寄って、ぴくりとも動かない前任者にそっと触れた。熟睡しているのか、前任者は返事をしない。Oが揺さぶると、ふとんの中で体がたぷたぷと揺れた。Oは壁を手探りして電気をつけた。ベッドの上には、輪郭のはっきりしない巨大なゼリーのかたまりがあった。それはぼんやりと人の形をとどめていたが、人だと言うには無理があった。Oは怖くなって携帯を取り出した。そのときゼリーのかたまりがぴくぴく動くと、目と推定されるところから必死の視線がOに注がれた。あのー、と声をかけた瞬間ゼリーのかたまりは水のようにさーっと広がってしまった。Oの中でも何かがどっとほとばしり出た。

猫はもう二日も姿を見せていない。Qが試しに塀の横に積んでおいたブロックは、形も崩れずそのままになっていた。それでもQはもう一度酢をまいた。猫の本拠地である箱のまわりはもちろん、猫が通りそうな路地にも念入りに噴射した。酸っぱい匂いが鼻を突いたが、一網打尽にするという喜びの方が大きかった。

Qは恋人に電話して、この嬉しいニュースを伝えた。私たちもうホテルに行かなくてもよさそうだよと。Qが一部始終を説明すると恋人は低音を響かせて、今日そっち行こうか？　と言うのだった。それは次回ね、もうすぐ記念日だもんね、きれいに飾りつけして待ってるからね。そうかー、期待してるよ。Qは恋人と久々に気持ちのいい会話をした。

今夜、Qには別の計画があった。Oに出ていってもらう記念として、一緒に肉を焼いて食べ、話をするつもりだったのだ。Oがあんなに割れやすいのは、まともなものを食べていないからかもしれない。一緒に飲んで食べて、最近の気まずさ、ぎこちなさ、そっけない態度を全部取り払ってしまいたかった。Qはスーパーに寄って肉と果物をたっぷり買い、ワインも一本選んだ。

「帰ったよー」

Qはドアを開けて入った。

「電気もつけないで何してんの？」

布団の横にOがうずくまっていた。

「どうしたの？　おなかすいたでしょ？……寝てるの？」

ご飯食べようよ、と肩を押すとOはバラバラッと崩れ落ちた。猫を追い出してあげたよ、という言葉もそのまま口の中で砕(くだ)けてしまった。Qは自分の手と、手のひらについたOとを交互に眺めた。０のかけらが手のひらに少し残っている。それを見ながらＱは、たぶんちょっと前まで０だったものを真空掃除機で吸い取るべきか、ほうきで掃（は）いて集めるべきか考え込んだ。

Originally published in Korea by Changbi Publishers, Inc.

Japanese edition is published by arrangement with Changbi Publishers, Inc. through CUON Inc.

なぜイライラするのかわからないときに！

［少女マンガ］

わけもなく楽しくて…!?の巻
ムシムシイライラの巻

（『つる姫じゃ〜っ！』より）

土田よしこ

〃なんだ
なんだっ
この
ろーか
ハラのたつ
キシムんじゃ
ないよ
キシムなっ〃

いいことがあったから気分がいい、いやなことがあったからイライラする、というのは当然ですが、そういう思い当たることがなくても、「今日はなぜかひどく気分がいい」あるいは「今日はなぜかひどくイライラする」ということがあるものです。

それはじつは身体が原因かもしれません。身体の調子が、いかに心に影響を与えているか、この漫画は本当に見事に描いています。

ぜひ、2話、連続でお読みください!

土田よしこ

(つちだ・よしこ)

1948－2023　漫画家。東京都武蔵野市生まれ。高校卒業後、赤塚不二夫のアシスタントとなる。1968年デビュー。少女マンガ界にまったく新しい笑いをもたらす。1973年より「週刊マーガレット」で連載した『つる姫じゃ〜っ!』が大好評を博し、日本漫画家協会賞優秀賞を受賞。テレビアニメ化もされた。同時期「りぼん」で『わたしはしじみ!』を連載。その他の作品に『きみどりみどろあおみどろ』『ねばねばネバ子』『東海道中膝栗毛』など。

わけもなく楽しくて…!?の巻

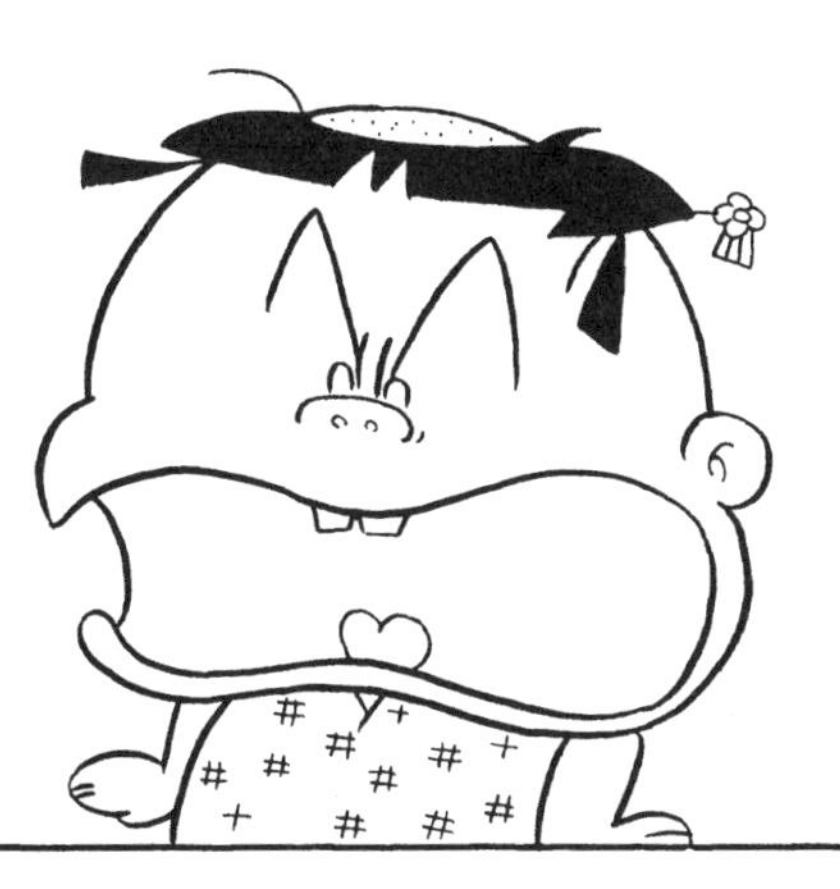
つる姫は……

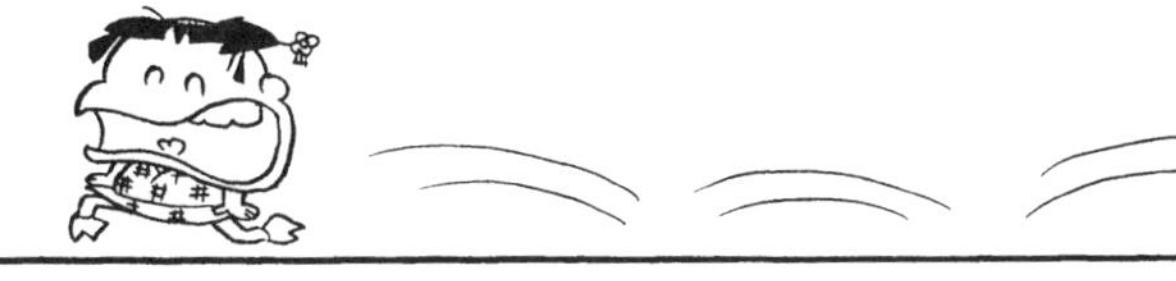
なぜか
きょうは
しどく
気分が
よかった

だれにでも
あるものだ
理由も
なく
たのしい
時が

つる姫は
うたつた

とびはねた
おどけた

そして
はしやいだ
どんな
サラ
こんな
サラ

ネコも
かわい
かつたし

犬も
かわいかつた
チュッ
チュッ

なんとなく
知らない人と
友だちに
なつたり

なんでも
よかつた
そして
ブチュ
?

そーだ
先生んちに
お茶
でも
のみに
いくべー

先生は
休みなのに
いやな顔
ひとつせず
応じて
くれ

お茶
だけでは
なく
肉マン
3つも
だして
くれて

それを
つる姫は
無遠慮に
2コも
ペロッと
たいらげ
ピッチャ
ピッチャ

3つめを
たべよーと
して

さすがに
気が
ひけたのか
それを
奥さんと
先生に
ふたつに
わって
あげ

さんざん
しゃべった
あげく

話のネタが
なくなったし
あきたので
先生の家を
でて
バタン

途中の
道で
ハゲタカに
あったので
だき
しめて
?

このまま
帰るのは
つまんないと
思い
ちょっと
よって
あら
つる姫

さんざん
トランプ
なんかして
遊んで

おしっこ
したく
なつたから
して

そんで
もつて
あと1回
ババヌキ
やつて
ババ

おみやげに
カキ
たくさん
もらつて
帰る
途中

ちょつと
たべて
みたら
ちつと
シブかつた
もんだから

遊んでた
吾作と
茂作に
わけて
やり

のこりは
通り
かかつた
馬にやり

ひどく
みんなが
よろこんだ
もんだから
すつかり
いい
気分に
なつて

野グソ
して

それを
太郎が
ふんで
すべった
もんだから
おもしろく
なって

もう
1回
ふませて

近所の
人に
みつかって
城に
帰され

父上に
すがり
ついたら

たたかれ

家老に
なきつい
たら

オシリ
10回
ぶたれ

ちょーど
家老の
ガキが
5人ほど
遊びに
きてた
ので

かみついたり
ひっかいたりの
大ゲンカを
して

まけて
腹の虫が
おさまらん
もんだから

そこにいた
女中に
ツバ
ひっかけて
やろーと
口いっぱい
ツバためて

ひっかけたら
イネで

メチャ
クチャに
されて

ろーかの
ほーに
はって
いったら

サルマタが
ラーメン
ひとつを
ふたりで
わけて
たべよーと
してたので

ブンどって

メンと
ヤキブタと
シナチクを
ぜんぶたべ

のこりを
ふたりでくえと
わけてやり
わーっ
汁だけ
わ〜ん

まーまーの
1日だったな
などと
思いながら
ほつかほかの
ゆたんぽ
かかえて
ぐつすり
ねむり
症状が
でたのは
つぎの日
だつた

コレラ
です

この新種の
コレラは
エルトール
つる姫型と
名づけられ
ました
それで
あなた
いままで
なん人ぐらいと
接しました
!?
う
う〜む
う〜む
人ごとじゃない
あんたも
あんたも
ですよ
このページ
ずーっと
読んでたなら
もう
うつってますよ
完全に

ムシムシイライラの巻
いらいらちゃんのきのこちゃんが
頭いっぱ～い
とってェ

本日はいやらしい天気です光化学スモッグ
ムシムシムシムシ不快指数100でしっけいっぱい

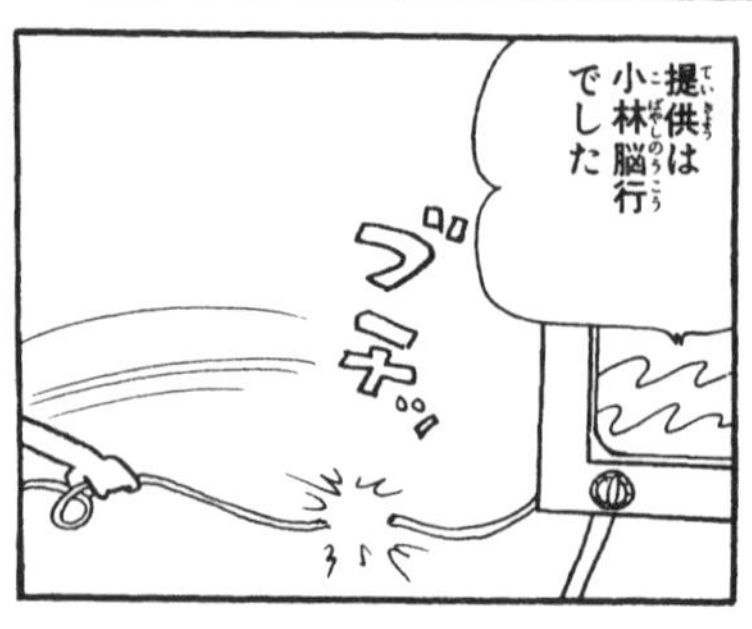
提供は小林脳行でした
ブチッ

ウ〜ッ
ハラのたつ天気予報だ

つゆにくわえてこのよーに不快な天気がつづいては
イライラ
イライラ
ム〜〜〜ッ

ワン

じじうえっ！
おやつるりん
毎朝

こー不快では死んじまう
すぐビーバーエアコンを買ってくださいっ
だめ

んじゃせめてせんぷーき
きょねんこわしたのじぶんでなおしなさい

うちわーっ
はい

ンガガガ
カ〜ッ
バタ
バタ

ムームー
ギーギー
く〜〜〜っ
スモッグ
スモッグ
シッケ
シッケ

なんだ
なんだっ
このろーか
ハラのたつ
キシムんじゃないよ
キシムなっ
ギッ
ギッ
やあ姫っ
げんき!?
ななな
なにーっ
タッ
タッ
タッ
あれっ
パーン
パチッ
ダーッ
ズッ
バタン
なんだ
ありゃ
なんだか
すげーなー
イライラ
イラ

ガーオーワーッ
おちついて
やれば
ランドセル
くらい
しょえる
でしょーが

バカ

おや
つる姫さん
おはよー

さっそく
教科書
ひらいて
なに
やだ
じゃ
おハナさん
見せて
あげなさい
は〜い

あのさー
つる姫
きのうは
あれから
ゆかいな
ことが
あったんだ
あのね

でさ…
ね…
なのよ
でもって
でしょ
ガリ〜ッ

先生ーっ
つる姫は
ボンナイフで
まゆげ
そるん
ですよーっ

あっ

先生〜っ
つる姫は
マジックで
まゆげ
かくんです
よーーっ
しょーが
ないなァ

フン
わたしに
なんの
うらみが
あるのよ
もう
本見せて
あげない
ズッ
あっ
ズッ
ギャーーッ
ズッ
つる姫ーっ
なにすんの
よーーっ
も〜〜〜っ
ブッ殺して
やる
やめなさい
おハナさん
ヨタヨタ
ヨタ
ベチャ
た
バチャッ
なんだ
ありゃ
う〜ん

あ～ なんて ふゆかいな 1日だった
このまま ねるまで ふゆかいが つづくの かしら
やだやだ
なんか いい気分 てんかんは ないかしら
ん そーだ
お肌の 手いれで こざっぱり
いーかも しれない いーかも しれない
お
バン バン
なんと 不快な～～っ
なに やってる!?
花びんで じぶんの顔 なぐってる
だめだ こりゃ
フン もう ねて しまう わい
ひつじが いーっぴきィ

イラ
イラ
イラ
ひつじが
にひき〜
イライライライライライイラ
ゆ〜ん
イラ
イラ
イラ
ねむれる
ものかーっ
もう
変になるう
なんか
いー方法は
ないかなァ
おーい
だれかっ
お茶
くらい
もってこい
まったく
気の
きかないっ
お茶
お茶って
うるさい
んだよ
このガキャ
ん!?
きょうは
残業で
イライラ
してんだよっ
さわぐと
首
ひねる
からなっ
しっけも
不快指数も
ブッとんだ
わァ
よく
ねむれ
そー
そよ
そよ
そよ
茶

あとがきと作品解説

●最近、イライラしませんか？

最近、イライラしている人や怒っている人が増えてきているように思うのだが、どうだろう？　基本的にイライラしていて、ちょっと何かあると、たちまち火がつく人も、よく見かける。

他人事ではなく、私自身も、ついイライラしたり腹が立ったりしてしまうことが増えた。なんだか余裕がない。

不愉快なことがあったときに、以前ならおもしろがる余裕があったのに、最近はすぐに不愉快に感じてしまう。クッションがへたってしまったように、世間のごつごつが直に伝わってきてしまう。

怒ってしまえば、ろくなことはない。人間関係が壊れ、仕事がなくなり、家庭が不和になり、近所で孤立し、孤独死のあげく、葬式に誰もこない。

といって、怒りを抑えるアンガーマネジメントも難しい。

そんなとき、どうしたらいいのか？

私は文学に頼ってみた。

いろんなイライラや怒りのシーンを読んでおくと、イライラしたり腹が立ったりしたときに、それを思い出せる。これはずいぶん助かる。

たとえば、カスタマーセンターに電話して、イライラさせられたときには、本書にも収録させてもらった、筒井康隆の『心臓に悪い』を思い出すことで、それこそ憤死せずにすんだと思う。

みなさんも、読むアンガーマネジメントをぜひ試してみていただきたい。

イライラしたときには、イライラ文学館を訪れて、イライラ文学にふれて、イライラに共感することで、イライラを相殺してもらいたい。

●身体で読む文学

このアンソロジーには、もうひとつねらいがある。

それは「身体で読む文学」を集めたいということだ。

といっても、何のことだかわかりにくいが、私は大学3年の20歳のときに、不思議な体験をした。

急に性格が変わったのだ。具体的には、ケンカがしたくてしかたなくなった。誰か肩にぶつかったりしないか、そうしたらケンカするのに、などと不穏なことを思いながら、学内を歩いていた。私は本来、ぜんぜんそういう性格ではないのだ。臆病で、ケンカなんか大嫌いで、人を殴りたくなんかないし、殴られるのはもっといやだ。ケンカを売られたとしたら、むしろ必死であやまるほうだ。それが、自分からケンカを売りたいなんて。

自分でも、変だなあと思っていた。

そうしたら、難病だった。心ではなく、身体の難病だ。潰瘍性大腸炎という大腸の病気だ。それなのに、身体の症状が出る前に、まず心がおかしくなったのだ。

これはとても印象的な体験だった。その後も、体調によって、心が変化するということを何度も経験した。なんだか心の様子がおかしいと、まず体調を心配するほどだ。

それまで私は、心（脳）が身体をあやつっていると思っていた。しかし、そうでもないのだ。逆に、身体のほうが心をあやつっていることもある。あやつり人形をあやつっているつもりが、じつはあやつり人形のほうにあやつられていた、という感じだ。

難病で入院しているときに、こういう体験もした。何カ月も絶食していたときのことだ。点滴で栄養は入れているので、飢えはしない。しかし、舌が何か味わいたがるのだ。あごが何か噛みたがるのだ。のどが何か飲み込みたがるのだ。胃が何か入れろと要求してくるのだ。これらの身体感覚は、「おなかが空いた」というようなひとつのまとまりではなく、個々の部位がそれぞれに要求を叫ぶのだ。突き上げてくるのだ。

つまり、健康なときには、連携がとれているので、身体をひとつのものと感じているが、身体というのは、じつはかなりばらばらで、部位ごとの要求を持っているということだ。

今、私は指を動かして、この文章を書いているが、指は本当に私の意思によって動いているのか、それとも指が勝手に動いてから、私はそれを自分の意思だと錯覚しているのか。

ともかく、そういう身体的な体験をして以降、私は文学の中の身体の病者というのが気になるようになった。

そうしてみると、作家によって、かなりちがいがある。小説というのは、基本的に気持ちを描いていることが多い。言葉にはしない心の内まで描けるのが小説のよさであり、心に関しては、いろんな面から詳細に、どんどん深いところまで追究して書いてある。

しかし、身体については、まるで目が向いていないこともある。一方で、身体についても見事に書いてある作品もある。たとえば、夏目漱石の『こころ』は、タイトルこそ心で、心についてももちろん書いてあるが、じつは身体についても深く書いてある。

そういう、身体についてもちゃんと描いてある作品を、私は「身体で読む文学」と呼びたいと思うのだ。

心について深く描いてある作品を読んで、心が震えるように、身体について深く描いてある作品は、身体で読むことができる。つまり、身体感覚で共感できるのだ。

そういう文学の名作を集めてみたいと思った。

それがこのアンソロジー、本書だ。

じつは、もうずいぶん前から、このアンソロジーを出したいと願っていた。しかし、なにしろ、これくらい説明しないと趣旨をわかってもらえない。だから、なかなか理解が得られなくて、出すことができなかった。

今回、ようやく念願がかなったのだ。

●「心の時代」から「身体の時代」へ

もうずいぶん長く「心の時代」がつづいている。心が過剰な時代と言ってもいいかもしれない。

「心と身体はつながっている」などとよく言われるが、それは多くの場合、心を病むと、身体も不調になる、また逆に、心を整えると、身体の調子もよくなるという意味で使われる。つまり、「心の持ちよう次第」という考え方だ。

私は難病になってから、じつにたくさんの人たちから「心の持ちよう次第でよくなるよ」

と言われた。骨折している人に、「心の持ちよう次第ですぐにくっつくよ」「心の持ちよう次第でもう折れなくなるよ」と言う人は、さすがにいない。しかし、内臓のように、身体の中でもブラックボックスなところに関しては、平気でそんなことが言われる。

心の天下がつづいていたからだ。

しかし、そろそろ潮目だ。これから、「身体の時代」がやってくる。いろんな分野で、身体性ということが言われはじめてきた。AIのように、いわば心しかないものに関しても、身体を持たせることの重要性が指摘されている。

「私は結局、体の通りに生きているんだな」と、中山求仁子は医学書院の「かんかん!」というWEBサイトの連載『劇的身体』の第18回　排泄のブルース（後編）で書いていた。私もまったく同感だ。

これから確実にやってくる「身体の時代」に向けて、ぜひ「身体で読む文学」に接しておいてほしい。

文学のすごいところは、はるか以前から、ちゃんと身体について書いてあることだ。まさにこれから読むべきと感じられる作品を、ちゃんと生み出していることだ。

本書を読んで、きっとそれを実感してもらえるだろう。

●作品解説

さて、前置きが長くなってしまったが、これから掲載順に、ひとつひとつの作品について ご紹介していきたいと思う。

文学作品は、まず自分にひきつけて、自分の体験を重ね合わせて読むほうがいいと、私は思っているので、私自身の体験や感想を書くが、それをひとつのサンプルとして、みなさんも、ご自身のこととして、自分の体験を重ね合わせて読んでみていただきたい。

なお、ネタバレもしているので、そういうのがいやな方は、本文を読んだあとに読むようにしていただきたい。

●筒井康隆『心臓に悪い』

筒井康隆の小説の中では、そんなに有名なほうではないかもしれないが、私はこの短編が大好きだ。

先にも書いたように、身体の病気を心のせいにされるという目にさんざんあってきているし（この小説の主人公の場合は、実際に気のせいなのかもしれないが）、なんといっても、「大通」との電話でのやりとりが絶妙だ！

こういうやりとり、したことがある！　という人も少なくないだろう。私もパソコンが初期不良だったときに、カスタマーサポートに電話したら、担当者が休みだから数日後に電話すると言われて、数日後に電話がないから、私のほうからまたかけると、そんな話は知らないと言われ、でもやっぱり担当者は休みで……ということをさんざんくり返したあげく、ようやく担当者と話すと、それがまさにこの小説に出てくる大通の中年男のようだった。「何を調べるんですか」「誰が調べるんですか」は私も言われた。

あの、なんとも形容のしがたいイライラ感を、これほど見事に描ききっている作品は他にないと思う。もちろん、そこは筒井康隆で、大通とのやりとりは、現実以上に面白い。だからこそ、たんにイライラするだけでなく、笑えて、イライラの解消にもなる。

「『ははあ。そりゃ困ったなあ』ちっとも困っていない口ぶりで彼はいった」というところなど、ほんとポイントをついている。そうなのだ、こっちは真剣に困っているのに、相手はぜんぜん困っていないのだ。仕事として対応しているだけで、相手のことなんかどうでもいいのだ。この困り方の不均衡こそ、イライラの源だ。医師と患者のやりとりでも、こういうことがよくある。患者のほうは命がかかっているが、医師のほうは当然、ぜんぜんそうではない。「はあはあ、それは困りましたねえ」などと言って、ぜんぜん困っていない。しかたないことではあるが、これはじつにつらい。

そして、圧巻なのはラストだ！　本当に素晴らしい。

のちにガルシア＝マルケスの『エレンディラ』という短編のラストを読んだときに、「あっ、『心臓に悪い』だ！」と思った。そのラストを引用してみよう。

だが、その泣き声もエレンディラの耳には届かなかった。彼女は風に逆らいながら、鹿よりも速く駆けていた。この世の者のいかなる声にも彼女を引きとめる力はなかった。彼女は後ろを振り向かずに、熱気の立ちのぼる塩湖や滑石の火口、眠っているような水上の部落などを駆け抜けていった。やがて自然の知恵に満ちあふれた海は尽きて、砂漠が始まった。それでも金の延べ棒のチョッキを抱いた彼女は、荒れくるう風や永遠に変わらない落日の彼方をめざして走りつづけた。その後の消息は杳として分からない。彼女の不運の証しとなるものもなにひとつ残っていない。

（ガルシア＝マルケスの『エレンディラ』鼓直、木村榮一訳　サンリオ文庫）

マルケスの『エレンディラ』が日本で初めて翻訳されたのは１９８３年だ。それよりはるか前に筒井康隆はこの『心臓に悪い』のラストを書いている。

なお、『エレンディラ』を含むマルケスの短編集が本国のコロンビアで出版されたのは１９７２年のことで、筒井康隆の『心臓に悪い』の初出も雑誌『オール讀物』１９７２年

12月号だ。ほぼ同時に、ふたりの作家がこういうラストを書いていたというのは、偶然とはいえ、面白い。

そして、なんともびっくりなのだが、筒井康隆が『心臓に悪い』を『オール讀物』に書いたときに、こういうことがあったそうだ。

ラストがぶっ飛び過ぎて、わけが分からないから書き直せといわれて、普通のオチに直されてしまった。本にした時には元に戻しましたけど。

（『筒井康隆、自作を語る』日下三蔵編　ハヤカワ文庫ＪＡ）

この素晴らしいラストを書き直させて普通にしてしまうとは、いったいどういうことだったのか。おそらく、当時は編集者でさえ理解が及ばない、あまりに早すぎる、斬新なラストだったということなのだろう。

●志賀直哉『剃刀』

志賀直哉は『焚火』という短編もとてもいい。まさに焚火をするだけなのだが、妙にいい。そういう何事も起きないような小説を書く人かと思っていたら、一方でこの『剃刀』

のような作品もある。他に『范の犯罪』も、殺人をあつかっていて、ミステリー色が濃い。熱のある身体と心の描写が見事で、熱があるときに何かしてはいけないなと、単純に思わされる。しかし、熱のある当人というのは、けっこうできる気でいる。それもまた熱のせいなのだが、当人にはわからない。

ついに殺人にまで至るわけだが、恨みがあるわけでもなんでもない。そもそも知り合いですらない。動機なき殺人ということになるが、原因は主人公の完全主義と、そして熱にある。もし熱を出していなかったら、こんなことはまったく起こらなかったのだ。身体が病気になっても、心はつい無理をさせようとするが、こんな手ひどいしっぺ返しをくってしまう。殺したのは、心なのか、身体なのか。

余談になるが、以前、住んでいた近所で殺人事件が起きたことがある。嫁が姑を殺したのだ。仲がよくなかったということだが、もう20年以上、いっしょに暮らしていたのだ。なぜそのときだったのか？　じつは夏で、ひどい猛暑だった。しかも、すぐ近くでリフォーム工事をしていて、大変な騒音だった。工事の人たちもイライラしていた。あの暑さと騒音がなければ、きっと殺人事件もなかっただろうと思った。

なお、志賀直哉は、『創作余談』で、こんなことを書いている。

「此小説を書いてゐる時、夜、十二時過ぎて、丁度芳三郎と云ふ主人公が若者の咽を切る前まで書いて寝て、翌朝、七時頃から二三時間かかつて、後を書き上げたが、其晩、―私が書きつつあつた時か、寝てからか分らないが、垣一重隣り（かきひとえ）の人が、西洋剃刀で咽を切って自殺してゐた。妙な偶然があるものだと思つた」（『志賀直哉全集第六巻』岩波書店）

●チェーホフ『ねむい』

海外文学をアンソロジーに収録する場合には、基本的に新訳する方針なのだが、この作品に関しては、この神西清の訳を使うのがベストだと感じた。名訳なのはもちろん、訳自体の古さが、ちょうど作品の雰囲気にも合っている。「お粥をこさえてあげましょう」というような言い方は、新訳ではできない。

ワーリカの犯罪が、なんともせつない。ねむいなどというのは、普通の日常ではむしろ気持ちがいいくらいのことで、ねむれなくて困っている人のほうが多いかもしれない。しかし、いったん「ねむってはいけない」ということになると、おそろしくつらいことだ。「SF／ボディ・スナッチャー」という映画があって、ねむってしまうと、宇宙人に身体をコピーされて、自分は消されてしまうという設定だった。つまり、ねむってはいけないのだ。眠気と闘う登場人物たちを見ながら、まだ子どもだった私は、睡眠がこんなにサスペンスを生むのかと驚いたものだ。

この短編は、チェーホフがまだ、一家を養うためにユーモア小品を量産していた時代のものなのだが、そのなかにも、こんな名品がある。

なお、チェーホフがこの短編を最初に新聞に載せたときには、ラストは「ワーリカは揺りかごへ忍び寄って、赤んぼの上へかがみこむ」で終わっていた。これだけでも、これからワーリカが赤ん坊を殺してしまうことはわかる。それを予感させて終わりだったのだ。

ところがチェーホフはのちに、今の最後の一文、「赤んぼを絞めころすと、彼女はいきなり床へねころがって、さあこれで寝られると、嬉しさのあまり笑いだし、一分後にはもう、死人のようにぐっすり寝ている」を書き足したのだ。

私はこの最後の一文にこそ、身体というものが見事に描かれていると思う。ねむりたいという身体の圧倒的な要求の前には、心の道徳も現実認識もじつにもろい。そして心も、ねむる喜びだけに満たされてしまう。

●ル・クレジオ『ボーモンがはじめてその痛みを経験した日』

ノーベル文学賞も受賞している、フランスを代表する文豪だ。その作品を果たして収録させてもらえるのか心配だった。何カ月も返事が来ないかもしれず、そのままずっと返事が来ないかもしれないが、催促はできないと言われた。まあ、そうだろうなと思った。

しかし、私はル・クレジオの『発熱』という短編集が好きでしかたないのだ。そして、このアンソロジーにその作品は欠かせないと思った。『発熱』の巻頭の「手紙 - 序文」から、ル・クレジオの言葉を2箇所、引用してみよう。

熱とか痛みとか、あるいは疲労とか眠気とかは、愛や煩悶や憎しみや死と同じほどに強烈な、同じほどに絶望的な受難なのである。

毎日、わたしたちは、ちょっとした熱とか、歯の痛みとか、束の間の目まいのせいでたちまち正気を失ってしまう。わたしたちは腹をたてる。快感を覚える。酩酊する。それは長続きはしない。しかしそれで充分だ。わたしたちの皮膚や目や耳や鼻や舌は、日ごとに無数の感覚を貯え、そのうちの一つとして忘れられはしない。それが危険なのだ。わたしたちはまったくの火山である。

（ル・クレジオ『発熱』高山鉄男訳　新潮社）

まさにこのアンソロジーのテーマそのものなのだ。本書の巻頭と巻末の言葉もここからの引用だ。

無理は承知でお願いしてみた。翻訳を担当してくださった品川亮さんが、ル・クレジオに手紙を送った。東洋からの一封書、気づいてもらうことさえできないかもと思ったが、なんとご当人からすぐに許可のお返事をいただけた。これには驚いた。文豪だから不遜とは限らない。素晴らしい人だった。

『発熱』に入っている九つの短編の中から、これを選んだ。「虫歯が一本痛み出せば、世界なんかもうどうなってもよいと叫ぶにちがいない、と言ったのはドストエフスキーであった」（『中島敦の遍歴』勝又浩　筑摩書房）とのことだが、虫歯という、どちらかといえば軽視されがちな、しかし激しい苦痛から、世界が変容していく。素晴らしい短編だ。翻訳した品川亮さんに「訳者あとがき」を書いていただいたので、以下に掲載する。

この小説では、どうやら歯の根元に膿がたまる歯根嚢胞と呼ばれるものの痛みに苛まれているとおぼしき主人公ボーモンの姿が描かれるわけですが、一読すると面食らうかもしれません。たしかに、最初はシーツが身体にまとわりついて寝苦しいくらいのことだったのが、いつの間にかデヴィッド・リンチの映画のいちばんこわいシーンや遠未来もののSFを思わせる風景が出現したりします。自分の皮膚の表面を通り過ぎてその奥へ奥へと入り込んでいくと、そのうちあたかも自分のその痛みだけが世界全体を支えているような気持ちになり、最終的には人智を越えた不思議な均衡点に辿り着くのですから、仕方のないことでもあります。

実際、この作品の原文には複雑なところや具体的に映像をイメージしにくい箇所もあります。それでも独特の疾走感で読み手を先へ先へと連れていく牽引力があり、最初に接した時にはするすると気持ちよく読み進められ、わかりにくいところは一つもないと思いました。ところがそれを日本語にするために、比較的長い文章を分解し、それぞれの部分の関係を検討しながら再構築する段になると、少しのあいだ目の前に霞がかかったようになりました。もちろん、わかったつもりになっていただけ、という部分もあるのでしょうが、それよりも印象としては、言葉の分解作業をとおしてボーモンの痛みがこちらの身体の中に侵入し、それがようやく脳にいたったとでも言いたいような混乱の感覚でした。それでもどうにか論理の糸をほじくり出してはたぐり寄せ、霞の中を手探りで進んでいくと、今度はすべてがはっきりとした輪郭を持ちはじめました。そして最後には思わず、「すべて理解したと思います!」と頭木さんに興奮気味なメールを送っていました。一見感覚的でシュールな詩のように見える表現も、すべては論理的かつ克明な写実なのだと(勝手に)わかってしまったのです(今考えると、その過程そのものがボーモンのあの経験と重なっていたのかもしれません)。同時に、自分自身がその歯根嚢胞で七転八倒した時の感覚がありありと蘇り、〝おそろしいほどリアルな小説〟としか呼びようがなくなりました。自分の体験に言葉とイメージが与えられたような、あの痛みはまさにここに描かれているようなものだったとしか言いようがない、というような気持ちになったのです。

　たとえば自分のことですぐに思い出すのは、親指と人差し指と中指の三本で頭蓋骨を支えていたことです。どういうわけか、そうすれば痛みそのものを支えられるような気がしたのです。それから、痛みの信号を意志の力で遮断しようと試みたり、挙げ句の果てには、これは感覚でしかないのだから、この〝痛い〟という感覚を、たとえば〝痒い〟という感覚に変換すればいいのだと発見し、そのために必死で意識を集中させたりもしました。そうしているあいだにも痛みは激しくなり、顎から頭蓋全体を呑み込み、それこそ自分の身体から滲み出てどこまでも広がっていくような気すらしはじめました。痛み止めが効くほんの十数分のうたたねのあいだに、とてつもなく背が高くて限りなく薄い建造物に押し潰されるという悪夢にうなされたこともありました。

　もちろん、それを外側から眺めると滑稽でもあります。実際、歯痛でこんなになるなんて、とひとり吹き出した瞬間もあったかもしれません。だとしてもそれはほんの一瞬のことで、外側から自分のことを眺める余裕などほとんどありません。と言うより、外側から眺めているような気がしていたのにもかかわらず、ほんとうはボーモンのようにどこか遠い世界に辿り着いて自分のことを眺めていたのかもしれない、とこの小説を読んで気づきました。ちなみに、歯根嚢胞のあと何年かして痔核を切除したのですが、この時も痛みによって別世界に連れていかれることになりました。すさまじい音量と音圧のノイズが、ずっと途切れることなく下半身で鳴り続けました。〝音〟がすさまじすぎて、どこの筋肉をどのように緩めれば小便が出るのか、これは便意なのか痛みなのか、そもそもなにが鳴っているのか、とすっかり頭が混乱したものです。痛みというのは身体を守るための信号なのだから、メッセージを受け取ったら信号をオフにできてしかるべきだろう、さもなくばせめて信号のレベルを下げられるようにするとか。そんな機能もないなんてひどい欠陥品だ、とこの時はイライラを通り越して歯ぎしりしながら憤慨したものです。

●谷崎潤一郎『病褥の幻想』

こちらも歯痛から始まる物語だ。あえてふたつ並べてみた。

「痛みが極度に達すると、寧ろ音響に近くなるのだ」という谷崎の痛みについての描写は興味深い。痛い歯をピアノのように弾くというのは、独特の境地だ。

そして、悪夢の描写も、なんともおそろしい。悪夢を見て鼓動が高まり、「心臓が破裂すればやっぱり死ぬに違いない。夢の中で死ぬと同時に、ほんとうに死んでしまうかも知れない」という恐怖は、私自身も難病で熱を出して、連続して悪夢を見つづけたときに感じたことがある。あれ以来、熱を出すのがこわい。どんな悪夢を見るかと。

谷崎の悪夢は地震だ。地震恐怖症だったのだ。「『九月一日』前後のこと」という文章でこう書いている。「ほんのちょっとした微震に遭っても忽ち胸がドキドキして真っ青になり、じっと据わっていることが出来ず、反射的に立ち上がって慌てふためくのが常であった」

明治27年6月20日、8歳のときに、明治東京地震で被災しているのだ。『病蓐の幻想』の主人公が子どもの頃に地震にあった話は、そのまま谷崎自身の体験だ。

「其の瞬間に、人間の生命のいつ何時威嚇されるかも知れない事を、つくづくと胆に銘じたのであろう」と書いているように、それ以来、地震がこわくなり、「自分が生きて居るうちに、どうしても一回、大地震があると彼は思った」わけなのだが、この短編が書かれたのは大正5年だ。そして、7年後の大正12年、関東大震災が起きる。まるで予言のようになってしまったわけだ。

ヒッチコックが、映画の中で電話が鳴るとき、突然鳴るよりも、まず電話を大写しにしておいて、それから鳴るほうが、観客はよけいびっくりすると語っていた。突然でびっくりするよりも、鳴るぞ鳴るぞと思っていて鳴るほうが、よけいびっくりするわけだ。

地震がくるぞくるぞと思っていて、本当にきたとき、谷崎はどれほど驚いたことだろう。もっとも、そのとき谷崎は東京ではなく箱根にいた。泊まっていた箱根ホテルは倒壊した。しかし、谷崎は車で外に出ていて助かった。

関東大震災をきっかけに、谷崎は関西に移住し、作風が大きく変化する。

●内田百閒『搔痒記』

かゆみを主題とした文学作品はそれほど多くないと思う。その中でも、この『搔痒記』は、かゆみの激しさ、対処法の猛烈さ、描写の見事さで、とくに印象的なものだ。

冒頭に書いてある通り、大学を出て、職がなかった時期の話だ。しかし、これを書いたのは20年後だ（内田百閒が大学を出たのは1914年で、これを書いたのは1934年）。しかし、20年前の話とは思えないほど、かゆみの描写がリアルだ。まるで、昨日かゆかったかのように。それだけ強烈なかゆみで、記憶が身体にも刻み込まれていたのだろう。

寺田寅彦が『破片』という随筆でこう書いている。

「内田百閒君の『搔痒記』を読んで二三日後に偶然映画『夜間飛行』を見た。これに出て来るライオネル・バリモアーの役が湿疹に悩まされていることになっていてむやみにからだじゅうをかきむしる」（青空文庫）

この『掻痒記』を読むと、他のところでも、かゆそうな人や話に、つい注意が向く。かゆみというは、痛みに比べて軽視されがちだが、実際にはそうとう苦しいものだ。私も全身が慢性蕁麻疹になったことがある。そのときまでは、痛いのに比べればかゆみなんて、と思っていたが、かゆいのもまた困る。とにかく困る。

次のような描写は、かゆみに悩まされたことのある人にはたまらないものがあるだろう。

「私が新聞をひろげて、両手で顔の前に受けていると、お貞さんは後(うしろ)に廻って、私の頭を縦横無尽にひっぱたいて、掻き廻した」

「拳固をかためて、繃帯の上から頭を殴りつけ、まだ駄目なので、ふらふらと起ち上がって、床柱の角に、自分の頭をどしんどしんとぶっつけた」

●ソ・ユミ『当面人間　――しばらくの間、人間です』

なんだか、すごくわかる！　と感じた人が多いのではないだろうか。

かなり非現実的な設定で、ある種の変身ものでもあり、シュールでもあるのだが、一方でとてもリアルで、不思議な納得感がある。

それは、身体がそう感じるのではないかと思う。ストレスを感じたときに、「顔や首がガチガチに固くなって、ひどい場合には割れたりひびが入ったりする」というのは、身体的な感覚、イメージとして、多くの人が感じていると思う。

私自身も、ストレスに弱く、人間関係が苦手で、肩こり首こりもひどいので、なんとも身にしみるものがあった。

一方で、「逆に、体に力が入らず、ふにゃふにゃに」なるケースもあるのが、また絶妙だ。同じ病気（？）で真逆の2つの症状があるのは、理屈の上ではおかしなことではあるかもしれないが、これもまた身体的にはすごく納得できる。ストレスを受けたとき、「体に力が入らず、ふにゃふにゃに」というのも、やはりよくわかる感覚、イメージだ。

この短編、まさに「身体で読む文学」だと思う。

医師は「規則的な運動と十分な休息だけでちゃんと回復します」と簡単に言う。その言葉に希望を抱いて、前任者も仕事を辞めて休むが、そう単純にはいかない。

私の持病の場合も、ストレスがよくないとされていて、医師から何度「ストレスをなくすように」と言われたかしれない。しかし、すでに入院か自宅療養かで、社会活動はいっさいしていなかった。これ以上、休みようがない。しかし、ストレスはある。何がストレスかというと、病気であるということ自体がひどいストレスなのだ。そして、これをなくすには病気がよくなるしかなく、病気をよくするにはストレスを……となると、どうどうめぐりだ。過去の記憶があり、未来のことを考えてしまう人間にとって、生きている限り、ストレスをなくすということは無理だ。

「こうした一切が〇の手に余るストレスであることは明らかだった」という一節も、痛切だ。人は、自分ではとても耐えきれないほどのストレスを抱えてしまう。無理な荷物を持たされることはそんなにないが、無理なストレスは持たされてしまう。

心が原因で身体に影響が出る話ではあるが、その身体の変化がまた心に影響を与えている。「〇の体はさらに何回も割れた。手の甲の傷は引っかき跡というより、深いところまで達した裂け目のように見える」

目に見えないところがストレスのこわさでもあるが、もしこうして目に見えたとしたら、身体が割れるとしたら、どんな気持ちになるだろう……。

こうして書いていると、きりがなくなりそうだが、さまざまな一節が、心に響き、心に残った。

この作品を教えてくれたのは、翻訳家の斎藤真理子さんだ。今回が初訳。こういう素晴らしい作品を本書で初めて紹介できるのは、なんとも光栄なことだ。

著者のソ・ユミは同じ年に2つの新人賞を受賞して注目を集め、今では、日本でもよく知られているチョ・ナムジュ、ファン・ジョンウン、チェ・ウンミなどと並び、韓国文学界を背負う作家のひとりであるそうだ。

ソ・ユミの邦訳は、『終わりの始まり』（金みんじょん訳　書肆侃侃房）が2022年に出ている。短編集『誰もが別れる一日』も、同じく金みんじょんの翻訳で明石書店から2024年の夏に出版予定とのことだ。この『当面人間　——しばらくの間、人間です』も、同タイトルの短編集の中の一編で、著者は「短編集そのものも翻訳されてほしい」とおっしゃっているとのことなので、本書がそのきっかけになることを願っている。

●土田よしこ『わけもなく楽しくて…!?の巻』『ムシムシイライラの巻』

どちらも『つる姫じゃ〜っ！』という少女漫画からで、連載時には連続して描かれたわけではないが、ぜひ2本まとめて読んでほしい。

一方はなぜか機嫌がいい、一方は機嫌がよくない。しかし、どちらも病気や湿度という、身体の不調、不快が原因なのだ。

これはまさに、私自身にも起きた、なぜか性格が変わったと思ったら、難病だったというのと同じだ。

機嫌がよくなるほうは、とくにすごい洞察だと思う。身体が不調だと、不機嫌になるのが普通だ。しかし、じつはそうとばかりは限らない。とにかく、性格が変わるのだ。ご機嫌になる場合もあるだろう。そういうときは、身体のせいかもしれないのだ！

心は身体次第ということを、とても見事に描いている2本の作品だと思う。土田よしこは、本当にすごい。私にとっては、手塚治虫と並んで、漫画の神様だ。残念ながら、このふたつの作品の収録のご許可をいただいたあと、2023年9月に逝去された。

●最後に

アンソロジーはお試しセットのようなものだ。ここで気に入った作家や作品があったら、ぜひ関連の作品も読んでみてほしい。

私自身も、そんなふうにして、いろんな作家や作品を知っていった。そのことにとても恩義を感じているので、今こうして、アンソロジーを編ませていただいている。

最後になったが、収録を快諾してくださった著者の皆様、著作権継承者の皆様、出版社の皆様に、心から御礼申し上げたい。編集を担当してくださった品川亮さん、毎日新聞出版の宮里潤さんのご尽力にも、心から感謝したい。

そして、今こうして、この本を手にして、お読みくださっているあなたに、どれほど感謝しているかしれない。読む人がいてくださってこそ、本は本になるのだから。

あなたもアンソロジーを愛するひとりになってくださったら、とても嬉しいことだ。

頭木弘樹（かしらぎ・ひろき）

文学紹介者。筑波大学卒業。大学三年の二十歳のときに難病になり、十三年間の闘病生活を送る。

編訳書に『絶望名人カフカの人生論』（飛鳥新社／新潮文庫）、『絶望名人カフカ×希望名人ゲーテ 文豪の名言対決』（飛鳥新社／草思社文庫）、『ミステリー・カット版 カラマーゾフの兄弟』（春秋社）。

著書に『絶望読書』（飛鳥新社／河出文庫）、『カフカはなぜ自殺しなかったのか?』（春秋社）『自分疲れ――ココロとカラダのあいだ』（創元社）。

選者を務めたアンソロジーに『絶望図書館』『トラウマ文学館』『うんこ文学』（いずれもちくま文庫）、『絶望書店――夢をあきらめた9人が出会った物語』（河出書房新社）、『ひきこもり図書館』（毎日新聞出版）。

ラジオ番組の書籍化に『ＮＨＫラジオ深夜便 絶望名言』『絶望名言 2』『絶望名言 文庫版』（飛鳥新社）。

共著に『病と障害と、傍らにあった本。』（里山社）『３６６日 文学の名言』（品川亮との共著 三才ブックス）、『当事者対決！心と体でケンカする』（横道誠との共著、世界思想社）。

落語の本に『落語を聴いてみたけど面白くなかった人へ』（ちくま文庫）。

病気の体験を書いた本に『食べることと出すこと』（医学書院 シリーズ ケアをひらく）がある。

エッセイ集に『口の立つやつが勝つってことでいいのか』（青土社）。

ＮＨＫ「ラジオ深夜便」の『絶望名言』のコーナーにレギュラー出演中。

Twitter（現X） https://twitter.com/kafka_kashiragi
Facebook https://www.facebook.com/hiroki.kashiragi
Instagram https://www.instagram.com/kashiragihiro/

blog https://ameblo.jp/kafka-kashiragi
note https://note.com/kashiragi_box

斎藤真理子（さいとう・まりこ）

韓国語翻訳者。訳書に『こびとが打ち上げた小さなボール』（チョ・セヒ、河出文庫）、『ディディの傘』（ファン・ジョンウン、亜紀書房）、『翼　李箱作品集』（光文社古典新訳文庫）など。頭木弘樹が編者のアンソロジー『絶望図書館』『トラウマ文学館』（ちくま文庫）では李清俊の「虫の話」「テレビの受信料とパンツ」を、『ひきこもり図書館』（毎日新聞出版）ではハン・ガンの「私の女の実」を、『うんこ文学』（ちくま文庫）ではヤン・グィジャの「半地下生活者」を翻訳。『カステラ』（パク・ミンギュ、ヒョン・ジェフンとの共訳、クレイン）で第一回日本翻訳大賞受賞。

品川亮（しながわ・りょう）

著書に『３６６日　映画の名言』（三才ブックス）、『〈帰国子女〉という日本人』（彩流社）など、訳書に『アントピア』（ウォルター・モズリイ、共和国）、『アウシュヴィッツを描いた少年』（トーマス・ジーヴ、ハーパーＢＯＯＫＳ）など、共訳書『ポール・ニューマン語る』（早川書房）、『スティーグ・ラーソン最後の事件』（ハーパーＢＯＯＫＳ）。アンソロジー『絶望図書館』『トラウマ文学館』『うんこ文学』（ちくま文庫）、『絶望書店』（河出書房新社）では、英米仏文学短編の翻訳を担当。映像作品は『ほそぼそ芸術　ささやかな天才、神山恭昭』、『Ｈ・Ｐ・ラヴクラフトのダニッチ・ホラーその他の物語』ほか。

底本一覧

筒井康隆「心臓に悪い」（新潮文庫／新潮社『おれに関する噂』所収）
志賀直哉「剃刀」（ちくま文庫／筑摩書房『ちくま日本文学21　志賀直哉』所収）
チェーホフ「ねむい」（青空文庫／神西清訳）
ル・クレジオ「ボーモンがはじめてその痛みを経験した日（Le jour où Beaumont fit connaissance avec sa douleur）」
（J.M.G. Le Clézio, *La Fièvre*, Gallimard, 1965）
谷崎潤一郎「病褥の幻想」（「中央公論」大正五年十一月号）
内田百閒「掻痒記」（ちくま文庫／筑摩書房『内田百閒集成7』所収）
ソ・ユミ「当面人間（「당분간 인간」）」（당분간 인간　２０１２年10月　창비（チャンビ））
土田よしこ「わけもなく楽しくて…!?の巻」（アニマルハウス　電子版『完全復刻版　つる姫じゃ〜っ！　9』所収）
「ムシムシイライラの巻」（アニマルハウス　電子版『完全復刻版　つる姫じゃ〜っ！　4』所収）

＊旧仮名遣いの作品は常用漢字体・新仮名遣いに改め、読みにくい漢字には新たにふりがなをつけました。
＊作中には、一部、現在の社会通念や人権意識に照らして不当・不適切な表現がみられますが、執筆当時の時代的背景や作品の歴史的価値を尊重して、出典のままで収録しております。

熱とか痛みとか、
あるいは疲労とか眠気とかは、
愛や煩悶（はんもん）や憎しみや死と同じほどに強烈な、
同じほどに絶望的な受難なのである。

ル・クレジオ

装幀　川名潤

イライラ文学館

不安や怒りで爆発しそうなときの9つの物語

印刷　2024年3月20日
発行　2024年4月5日

編者　頭木弘樹

発行人　小島明日奈
発行所　毎日新聞出版
〒102-0074
東京都千代田区九段南1-6-17
千代田会館5階
営業本部　03-6265-6941
図書編集部　03-6265-6745

印刷・製本　中央精版印刷

Printed in Japan.　ISBN978-4-620-32803-4